DU MÊME AUTEUR

Aux Éditions Gallimard

KOLIA, 2011.

MALABOURG

PERRINE LEBLANC

MALABOURG

roman

nrf

GALLIMARD

L'auteur remercie de son soutien le Conseil des Arts du Canada,
qui lui a accordé une bourse pour l'écriture de ce roman.

Sur la crête du tas de neige durcie
Vers le blanc secret de ma maison
Tous deux apaisés parfaitement
Nous marchons dans un tendre silence.

ANNA AKHMATOVA,
Plantain

DENS LEONIS

Entre le mont Silverwood et la mer, il y a Malabourg. Le village couvre une superficie de 235 km². Sur son territoire, on trouve une rivière à saumons, une portion de route nationale, une forêt composée principalement de conifères, et au cœur de cette forêt, un lac que les enfants de la région appellent «la Tombe». Malabourg est sur la rive nord de la baie des Chaleurs, mais l'eau est salée à cet endroit alors on dit *la mer*.

Le ciel de Malabourg n'est pas creux, il manipule les gens comme un chaman. La nature, souveraine, crochet d'un dieu hasard dont on ne sait pas grand-chose, se manifeste à sa façon dans le gène qui dessine les visages malabourgeois depuis deux cents ans. À Malabourg, on a le menton en galoche.

Les filles de la nouvelle génération rendent fous les hommes du cru au visage de pêcheur et à la paume sans âge. Elles ont le corps pulpeux là où le regard mâle cherche du rebondi, quelque chose de ferme, doux et chaud pour remplir une paume rêche, rarement propre à cause des travaux manuels qui ne sont pas le lot des maîtres au village. Le type usé cherche un corps jeune pour essuyer ses mains crottées d'homme vaillant, un corps-torchon qui sent bon la vanille importée, la mauvaise gousse taillée, puis frottée entre les seins et à l'attache des bras qui n'a pas connu le fil du couteau sur la veine la plus apparente, celle qui pisserait rouge si on la tranchait dans le sens de la mort.

Les hommes ont le visage buriné prématurément, vieilli par le soleil, le sel que le vent charrie beau temps mauvais temps, l'acide dans l'eau de pluie qui décape les gorges les plus délicates avant la fin, et par la vie, injuste et chienne. Jeunes, ils ont l'air vieux ; vieux, ils ont l'air morts.

Mina n'a pas hérité du menton de la famille de son père, ni des formes dont la nature a pourvu les autres filles de son âge. Elle a les cheveux noirs, le teint mat et le bas du visage de sa mère. Elle n'a pas de seins, les poumons les ont mangés. Dans un grand village de châtains originaires pour la plupart de Mont-Bleu, un hameau fondé par des Acadiens dans le nord-ouest de la municipalité, et de roux installés dans les hameaux de Firthtown et de Salmon Lake, le noir corbeau de ses cheveux suffit pour la rendre suspecte. On se méfie d'elle, on la traite de gothique, de sauvage, de *kawish*, mais elle laisse faire. On ne s'intéresse pas vraiment à elle au demeurant. Elle se fout des autres de toute façon. On lui donnerait quatorze ans avec ses tétons de fillette et ce visage aux traits doux caché à moitié derrière un rideau de cheveux noirs.

— T'es dans le chemin, Mina.

C'est Alexis. Il a le menton en galoche, les yeux ronds et rapprochés comme ceux des Anglais, une grande bouche aux lèvres minces, mangées, qui s'étirent dans un sourire de timide qu'il n'offre pas souvent aux autres. Il vend des fleurs et des plantes. Il offrait des roses à Geneviève, avant sa disparition. Il a associé toutes les jeunes filles de Malabourg à une fleur. Geneviève, sa préférée, c'était la rose de Damas.

Alexis a vingt et un ans. Il dort dans la grange qu'il a équipée pour son travail et la vie quotidienne : c'est son atelier, ses appartements et la serre où il élève des fleurs, des plantes et des herbes aromatiques. Il vit avec trois chats restés un peu sauvages. Il dégage une vague odeur d'ammoniac, de transpiration et de sauge. Il aurait pu prendre le ciré jaune des ouvriers de la mer ou des pêcheurs de saumon de l'Atlantique pour faire comme son père, comme tous les pères du village qui ne sont pas agriculteurs, comme les fils de ces pères, qui deviendront pères pêcheurs à leur tour, mais à l'odeur du poisson et des fruits de mer il préfère celle des fleurs. Parce que la résistance des fleurs à la puanteur des chiens sales est étonnante. Et le monde est peuplé de chiens sales, pense-t-il.

Alexis contrôle le marché de la verdure et des fleurs de qualité sur la rive nord de la baie. Tout le monde sait où aller pour les roses, les œillets, les tulipes, le thym, la coriandre, les cactus, les bonzaïs, les plantes et les arbustes exotiques qu'on ne trouve pas à la quincaillerie. Il vend aussi des têtes de violon en mai et de la rhubarbe saupoudrée de sucre que les enfants aiment bien croquer, l'été, en marchant sur le rivage, au pied de la falaise ocre, entre les feux à demi éteints de la veille, loin des restes de repas de palourdes grillées pris sur la grève à deux heures du matin par les grands frères virils, les belles filles et les touristes.

— Tu trouveras rien. Un tas de neige, des trous d'eau, de la boue, des cailloux.

Mina ne répond pas. Elle relève sa jupe d'une main, se penche et ramasse une pierre blanche, vulgaire, à moitié opaque, moins pure qu'un morceau de quartz, mais que le soleil peut quand même allumer si on la lui présente. Elle fait provision d'agates, de pièces de verre poli par la mer, de pierres fines achetées en gros sur Internet. Elle voue un culte au spinelle rose néon extrait du sol tanzanien près des monts Mahenge, dont on ne modifie jamais la couleur presque irréelle en le chauffant ou en l'irradiant, et à l'aigue-marine brésilienne de teinte vert d'eau, taillée en Espagne à la fin du XIXe siècle, achetée en solde par son père dans une bijouterie de Montréal qui se débarrassait des minéraux trop inclus, pas assez purs pour la réalisation des travaux d'orfèvrerie haut de gamme.

— Elles sont bleues, aujourd'hui. Je leur ai fait boire de l'encre, dit l'autre, en lui montrant une rose bleu saphir.

Mina n'est pas très prolixe. Elle a les dents mal plantées. Elle sourit peu et rit en pinçant les lèvres. Dans l'inventaire des filles de Malabourg dressé par Alexis, Mina, c'est le pissenlit, la dent-de-lion. En langue morte : *dens leonis*.

PREMIÈRE PARTIE

LE CRÉPUSCULE
DES FLEURS

2007

ROSA DAMASCENA

Les épaules relevées, le visage tourné vers le sol, Geneviève traversa la route et le village les mains dans les poches. Le vent soufflait, mais pas aussi fort que la veille. Le vent et la musique qui passait doucement par les écouteurs, c'est tout ce qu'elle entendait. Ça sentait les algues, le poisson, les feuilles mortes, la viande fumée. Elle remonta le col de son imper et accéléra le pas pour se réchauffer.

La maison jaune canari du maire, érigée sur la falaise au tournant du XXe siècle, était alors le plus charmant cul-de-sac de Malabourg. Laissée à l'abandon depuis la catastrophe qui changea la teneur du monde au village, placard qu'on ne fouille plus par crainte d'y trouver un squelette, elle partage toujours avec l'école secondaire un terrain vague, mais les jeunes couples ne se retrouvent plus en cachette après les classes derrière le hangar où les employés municipaux rangent leurs outils.

La prudence avec laquelle les adolescents s'aiment, désormais, jure avec l'époque qui est la leur.

La silhouette de Liliane était épanouie mais d'une féminité mal apprivoisée, cachée sous des vêtements trop grands et passés de mode. Ses seins avaient commencé à pommer très tôt, elle avait eu ses premières règles avant les autres filles de la classe. Cette fertilité précoce, tombée comme la lame de la guillotine sur son cou de petite fille bien avant qu'elle ne sache quoi faire avec ces formes pleines, plus femme qu'elle-même, la gênait comme une tache de sang sur une jupe pâle.

Elle accueillit sa meilleure amie sur le pas de la maison jaune avec une tasse de chocolat chaud et un flot de ragots. Elle jacassait comme une pie, évoqua le froid qui arrivait, parla des vêtements à acheter pour l'hiver, des cons du village, de son étrange frère, des filles dont elle enviait la grâce et la féminité assumée, de son inscription au Cégep. Elle déroulait le récit de son week-end rasoir, que Geneviève écoutait distraitement en regardant par la fenêtre. Quelque chose ou quelqu'un, dehors, venait de bouger dans le halo, sous le lampadaire. Le plafonnier était allumé, on pouvait les voir de l'extérieur, où il faisait quand même déjà très noir. Elle pensa à Alexis, Alexis et ses fleurs. Mais Alexis était chez lui; il regardait un film en grattant le dos de son chat gris. Quand l'intrigue mal ficelée du film devenait trop prévisible il pensait à elle, mais il y pensait sans plus, il y pensait comme il aurait pensé à un corps de jeune femme surmonté d'une tête qui lui plaisait, il était trop fatigué pour les pensées tendres, et il avait froid.

Liliane appuya son front contre la fenêtre qui s'était embuée, puis recula aussitôt, comme si le verre était brûlant. Elle accrocha au passage la tasse de chocolat chaud refroidi qui se brisa sur le carrelage. Sa mère accourut, le visage furieux, affichant l'air bête qu'elle a toujours après avoir sursauté, comme si le monde cherchait perpétuellement à la faire chier, comme si elle était le soleil autour duquel le récit du monde évoluait. À Malabourg, c'est toujours la faute des filles. Dans la logique du village, si un pervers s'amuse sous la fenêtre d'une fille, il faut le cacher à papa. Et dans ce village, se confier à une mère qui accourt après avoir entendu un cri ou un bruit sourd de tasse fracassée, c'est s'adresser indirectement au père, le mur doté d'oreilles. Sur toutes les mamans de Malabourg il y a un greffon d'oreille mâle, et les yeux qu'elles ont derrière la tête sont reliés au père.

— J'ai vu une souris. Désolée pour la tasse, je vais nettoyer. Tu diras à papa de sortir les pièges.

Sa mère lui demanda de baisser le ton, «Ton père va bientôt rentrer». Elle salua assez sèchement Geneviève, le sujet de discussion privilégié des commères du village, cercle dont elle était la doyenne, et referma la porte derrière elle. Une ride profonde lui barrait le front. Ses yeux bleus étaient encore beaux.

Alexis sentait le fauve, ses vêtements d'une propreté douteuse et son admiration pour Geneviève, monomanie amoureuse inoffensive mais singulière, repoussaient à peu près toutes les femelles à poitrine développée qu'il connaissait. Il se mettait souvent sur le chemin de son amour et saluait, faussement étonné, le hasard qui fait bien les choses. C'est naturellement à lui et à sa petite folie que pensa Liliane.

— Sois prudente, quand même, en rentrant. Il va peut-être te suivre.

Liliane regardait son amie en se grattant l'oreille. Il faisait froid dans la maison même si son père avait mis en marche la fournaise avant de partir pour le travail, il faisait froid dehors, il faisait froid partout, l'enfer des frileux commençait, les articulations des plus fragiles faisaient déjà office de baromètres. Elle avait la chair de poule, les tétons dressés et le bout du nez rose thé. Elle ouvrit quand même la fenêtre. L'air sentait le propre, brûlait les narines et décapait les bronches. Elle passa la tête dehors mais ne vit rien d'inquiétant, la respiration de la mer était régulière et forte. Elle referma la fenêtre, tira les rideaux, puis se retourna. Geneviève se tenait à quelques centimètres d'elle, elle la repoussa.

— J'ai quelque chose à te dire. Viens ici.

Geneviève la prit par les épaules et ajouta, à voix basse :

— J'ai fait le test.

Puis, en chuchotant cette fois-ci, elle lui annonça qu'elle était enceinte.

Liliane prit le livre qui traînait sur sa table de chevet : *Moi, Tituba sorcière...*, de Maryse Condé, lecture obligatoire à l'école au dernier semestre. Elle le feuilleta, le referma, pivota sur elle-même, revint vers Geneviève, qui avait enfilé son pull de laine et ouvert la porte de la chambre, stoppant net les confidences. Liliane la suivit jusque dans le hall, lui demanda où, de qui, pourquoi, quand, comment? Geneviève ouvrit de grands yeux, lui fit signe de se taire, lui répondit de ne pas s'en faire et partit aussitôt, la laissant comme ça, sur le seuil, la bouche ouverte, la tête dans le brouillard. L'horloge de la cuisine indiquait 21 h 15. Liliane frissonna un bon coup et s'emmitoufla dans le châle de sa mère, qui lui gueulait depuis le salon de fermer la porte, «On gèle».

Dans l'œil du petit ouragan qui raserait bientôt le moral des habitants de la côte, Geneviève tourna le dos à la maison jaune et à la mer. Le vent qui s'était levé sans aucune pitié pour les arbres les plus chétifs lui gela l'oreille droite, qu'elle essayait de protéger de sa main. Elle se posa les questions d'usage, passa en revue toutes les portes qu'on peut ouvrir, réponses ou solutions bancales, lorsqu'on est enceinte à dix-sept ans, dans un village où tout le monde se connaît : avorter en douce, boire des tisanes et avaler des comprimés de poison naturel, prier même si on n'a pas de religion, aller jusqu'au bout et croire bien naïvement qu'on peut faire chanter l'homme qui a couché (mais à quoi bon, on dirait de toute façon que la fille a fauté). Le petit monde du village ne saurait rien en novembre, trois-quatre mois de peau et de rondeurs à cacher sous les laines d'hiver et puis hop, on s'en va, on fuit le village à deux, ou à trois si on a de la chance.

Derrière la quincaillerie elle prit le raccourci qui débouche sur un petit parc. Le lampadaire s'alluma sur son passage, puis s'éteignit quelques secondes plus tard, replongeant le théâtre dans le noir.

On l'agrippa par-derrière. La bête futée, discrète, était partout et nulle part à la fois, elle avait l'ubiquité du vent. Geneviève tomba près des balançoires. Elle perdit connaissance après le coup derrière la tête. On l'acheva près du lac.

Elle ne vit pas le visage de la bête, elle ne vit rien du voyage vers le dernier ventre, l'ultime course, entre le parc et le lac. Elle était sourde, assourdie par le vent; la nature faisait écran entre elle et l'autre. Il lui avait bandé les yeux pour éviter le regard de celle qu'il allait tuer. Pour rien, car elle avait déjà commencé à mourir.

*

Elle avait fait l'amour pour la première fois au début de l'été, après la remise des diplômes. Elle s'était baignée dans le lac et venait de passer en maillot de bain sous la douche rudimentaire, derrière les toilettes publiques, fabriquée par de grands adolescents à l'aide d'un boyau fixé au robinet extérieur. Il l'avait surprise dans cette position pas très élégante et s'en était amusé. Elle avait relevé la tête, il avait esquissé un sourire, alors qu'il affichait la plupart du temps un visage fermé, de patron. Elle était contente que ce soit lui, il lui plaisait. Il allait rejoindre sa famille au lac mais s'était ravisé en la voyant ainsi, habillée pour le podium comme une Miss de concours maladroite et touchante.

— Attends-moi, je reviens.

Elle avait remis ses sandales, passé un T-shirt sport sur son maillot et l'avait attendu à moitié nue. Il était revenu cinq minutes plus tard et l'avait entraînée chez lui, dans son bureau, dont il avait fermé la porte à clef.

Ils se connaissaient depuis toujours, mais c'est au début de l'été qu'il l'avait vraiment remarquée, elle sortait du lot. Il n'aimait pas les petites filles, il aimait les formes et les visages de femme, moins ronds, moins lunaires. La transformation du corps de Geneviève avait été spectaculaire : son père, intimidé, avait d'ailleurs cessé de l'enlacer, et sa mère regardait ses seins avec un peu trop d'insistance, comme si cette poitrine dont elle était la cocréatrice, poitrine menaçante, plus généreuse que la sienne, aurait dû lui appartenir. C'était une mère-louve, possessive, doublée d'une adolescente éternelle qui avait encore, dans sa tête, l'âge que venait d'atteindre sa fille.

Le désir de cet homme était resté au chaud durant des mois, il avait grandi puis éclaté dans les draps cet après-midi-là : du soleil et du sucre, tandis que les mouches se cognaient contre l'ampoule graisseuse de la lampe de lecture qui trônait sur le bureau. Pendant l'amour, Geneviève avait eu l'impression d'enlacer son propre corps, tellement le corps de l'homme était petit et sec. Les mains rugueuses de cet homme avaient tout caressé, sa bouche qui goûtait le café et la cigarette avait tout embrassé.

Ensuite il lui avait dit «vous». Avant cette première fois il l'avait toujours tutoyée, mais ce tutoiement — il tutoyait tous les jeunes du village — la frustrait parce qu'il marquait la distance entre l'adulte qu'il était et la femme qu'elle avait l'impression d'être devenue. Le tutoiement installait le rapport de force entre eux car il ne pouvait pas être réciproque, elle ne pouvait pas lui dire «tu» devant les autres.

Il n'avait rien d'un vieillard. Il était beau et dur, son corps était sec mais souple, et son regard pénétrait tout. Il voyait plus loin que la nudité, il voyait sous la peau, jusqu'au cœur. C'est ce que ces yeux allaient chercher en elle, le cœur nu, dans toute sa laideur de pompe.

À l'épicerie, à la pharmacie, dans les réunions, sur la plage, la mère de Geneviève le regardait par en dessous elle aussi. Geneviève savait ce que ce regard de femme qu'on néglige signifie, et elle pouvait décoder le dessin des rides sur le visage des femmes de son village. Ses parents avaient toujours dormi ensemble, mais ils ne s'aimaient plus depuis longtemps, ça crevait les tympans la nuit. Les coups ne laissaient aucune marque visible sur le corps de sa mère le lendemain d'une volée, la peau était blanche, l'homme de la maison frappait selon la logique des dominateurs fous. Le père de Geneviève ne frappait que sa femme, mais il lui arrivait aussi de faire mal à sa fille avec les mots, c'était sa façon d'être avec elles.

L'amant de Geneviève avait un garçon dont la jeunesse du visage avait été ravagée par une acné juvénile sévère. On ne connaissait à Sam qu'un seul talent, hormis celui d'être le fils de son père : il taillait des filles parfaites de quinze centimètres dans le bois. L'amant de Geneviève était le maire de Malabourg. L'amant de Geneviève était aussi, comme dans les contes qui ne sont destinés aux enfants que pour la forme, le père de sa meilleure amie.

LILIUM CANDIDUM

Le maire, flanqué de deux policiers, fit le tour des commerces du village à pied et en voiture. Ils interrogèrent les Malabourgeois les plus bavards. Ils imaginèrent, avec les moyens et les informations dont ils disposaient, l'itinéraire suivi par Geneviève la veille au soir. Un sergent-détective et son maître-chien se joignirent à eux en fin de journée pour organiser une battue; l'homme ne s'avéra pas plus utile que son animal.

Les commères du village accusaient déjà le vagabond, un pouilleux ressemblant au père Noël, avec sa barbe grise et son air bonhomme. Il s'était installé au village en même temps que la canicule et s'aidait dans ses déplacements d'une canne richement sculptée, au pommeau d'argent reproduisant la tête d'un serpent. Il prenait son serpent à chaque pas : du lever au coucher du soleil, la tête du démon était vissée à sa paume. Il avait dormi jusqu'à l'été des Indiens sur le banc public qui lui servait de lit quand le temps le permettait, de table à manger lorsque le bord de mer était envahi par les touristes, d'urinoir quand il se croyait à l'abri des regards. Il passait ses journées à manger, uriner, déféquer, dormir et contempler la mer et les personnages du village en caressant l'animal enroulé sur sa canne. Un dieu pauvre, François moderne mais mécréant, mage tombé d'en haut avec sa barbe pleine de poux. Il était original comme tous les pouilleux, mais il n'inquiétait pas le maire.

Alexis fit comme les autres, il ferma boutique plus tôt que d'habitude. Il rentra chez lui en pensant au lac sans trop savoir pourquoi ce point d'eau l'obsédait autant depuis qu'il avait appris, pour Geneviève. Une de ces intuitions amoureuses formidables dont la nature a le secret.

Les kilomètres carrés les plus fréquentés du village furent fouillés, mais l'essentiel du territoire échappa à la truffe du chien et à la vigilance de son maître. Des hommes se réunirent au centre communautaire et prirent la décision d'explorer à leur façon, et contre l'avis de l'enquêteur qui exigeait une démarche plus organisée, le littoral qu'ils connaissaient comme leur poche, les berges de la rivière à saumons où ils folâtraient depuis qu'ils étaient en âge de marcher, les sentiers pédestres, les cachettes habituelles des jeunes, le phare. Mais l'inspection des bois, forcément imparfaite, découragea rapidement ces limiers du soir, improvisés et amateurs. On parla de fugue en rentrant chez soi, mais les parents de Geneviève n'y croyaient pas.

La corvée porta ses fruits, que les autorités n'eurent, somme toute, qu'à aller cueillir au lac. Dans la matinée du 7 novembre 2007, les plongeurs de la Sûreté du Québec repêchèrent le corps de Geneviève. La peau était devenue fine et transparente comme du papier de riz. Les doigts étaient si gonflés que l'enquêteur laissa tranquille la main gauche, dont le majeur était cerclé d'un jonc en or blanc. La puissance de la mâchoire atteint sa limite dans la mort, ou juste avant la mort, dans le mouvement qui précède l'ultime pose prise par la figure, le *rigor mortis*; un mouvement de fermeture complète, ou d'ouverture, cela dépend de l'étape à laquelle la dernière respiration s'est arrêtée. Il arrive qu'on doive casser la mâchoire en la refermant après le décès pour donner un air noble et paisible à celui qui est mort, mais parfois on n'y arrive pas, la face est détruite, alors on cache le visage pour de bon derrière le bois du couvercle du cercueil qu'on appelle le dernier ciel. Le corps de Geneviève, dont le visage avait déjà changé d'allure, fut glissé sans délai dans un sac à fermeture Éclair.

Après le crachin du petit matin, la nature défia le village en lui envoyant un ciel bleu pur et un soleil trop somptueux pour la réalité du deuil qui le frappait. Rues désertées, rideaux tirés, mer virtuellement asséchée ; lune de midi.

«Bleu monstre», dit Sam, dans un accès de méchanceté qui jurait avec sa discrétion habituelle. Sa sœur lui cracha dessus et lui tourna le dos. Il alla s'asperger le visage au-dessus de l'évier en maudissant les jeunes filles putes et sa sœur à moitié lesbienne. Liliane se gratta sept fois l'oreille droite avant d'ouvrir la porte du réfrigérateur. Sept étant pour elle le chiffre magique, la gomme à effacer les soucis.

Leur père essaya de les faire rigoler pendant le souper, mais sa famille lui intimait en silence, avec l'air supérieur qu'avait pris Sam et le visage d'enterrement que faisait sa femme, de se taire, ou à tout le moins de faire profil bas. Tout était cassé en lui, mais l'attirail encombrant du maire, le masque avec lequel il se présentait aux autres y compris sa famille, qui faisait partie des «autres» depuis qu'il avait commencé cette liaison avec Geneviève, était lisse, parfaitement fonctionnel.

Après le repas, Liliane profita de ce que sa mère, abrutie par les médicaments, regardait la télévision en pyjama pour se glisser dehors. Elle croisa Mina sur la berge. Les deux filles ne se fréquentaient pas, elles se firent la bise pour la première fois. Elles n'avaient pas le même âge, deux ans les séparaient, et quand on est jeune, deux ans, ça compte. Liliane lui demanda si elle avait vu Alexis.

— Oui, avant qu'il ferme la boutique.

— Il a été interrogé par la police, tu savais?

Oui, bien sûr, elle savait. Elle connaissait par cœur l'horaire d'Alexis.

— D'après mon père, il est pas considéré comme suspect, dit Liliane.

— Il regardait un film ce soir-là. Il est resté chez lui.

— Comment tu le sais?

— Je le sais. Je vois tout, de chez moi, le soir, quand le plafonnier est allumé dans son salon.

— Oui mais quand même.

— Non, pas «quand même». Il était chez lui ce soir-là. Tu le sais.

Mina aurait pu ajouter «Jalouse, t'en veux à ceux qui aiment Geneviève», mais, prudente, elle se ravisa.

La mère de Geneviève proposa à Liliane de passer à la maison choisir, parmi les objets préférés de sa fille, ce qui lui plaisait.

— Prends ce que tu veux : vêtements, livres, bijoux, parfums. Chaque objet me rappelle Geneviève. C'est pénible.

Liliane prit un châle de cachemire vert pomme et son journal, dont elle se félicita qu'il ne fût pas tombé dans les mains des parents. Sur un banc planté devant la mer, elle le parcourut distraitement. L'écriture de sa meilleure amie était émouvante. Les lettres, légèrement inclinées mais rondes, avaient quelque chose d'enfantin, de bonne jeune fille. Les lettres majuscules en tête de phrase formaient des arabesques grossières, et de petits dessins cabalistiques dans les marges accompagnaient le récit banal de ses journées. Banal jusqu'à cette rencontre estivale, que Geneviève avait confiée en détail à son journal. Liliane tomba sur cette description amoureuse et n'en crut pas ses yeux. Elle prit une écharde dans le doigt qui grattait nerveusement le vieux bois du banc public. L'homme imprudent était vieux, c'était un Vieux. Elle comprit alors que le vieux qui avait couché avec son amie pendant l'été, c'était son père.

Il leva les yeux du document qu'il corrigeait et posa le stylo devant lui. Il n'aimait pas qu'on le dérange dans son bureau, sa forteresse à la maison. Il rappela à sa fille qu'il fallait lui envoyer un message sur son téléphone et attendre qu'on l'invite à entrer avant d'oser frapper, ce qu'elle avait omis de faire. Elle l'insulta dans l'esperanto de la colère, la langue du «fuck you». Il mit sur le compte du deuil la violence de sa fille, «T'es hystérique, du calme», mais après son départ il siffla quelques verres de whisky pour se calmer.

La nuit vint. Liliane s'agita sous les draps. Elle jongla avec des balles de fous et de fusil. Nuit blanche, noire comme le dernier ciel de son amie, mais blanche surtout, sans sommeil et sans rêves. Elle fit le tour des histoires qu'on se raconte quand on a peur. Elle fabriqua en une nuit toutes les vies vécues par son amie. Elle tua en fantasme tous les admirateurs de Geneviève, dans une veille malsaine induite par le thé qu'elle avait bu avant de gagner son lit et qui lui donnait aussi l'envie de pisser. Elle se leva à cinq heures, le temps mort pour les vivants hormis les insomniaques et les grands amoureux. Les paupières gonflées, le blanc des yeux injecté de sang, la chemise de nuit mouillée de sueur, la chevelure emmêlée, les joues barrées de plis d'oreiller, elle ressemblait à une vieille femme déprimée. Elle fouilla dans l'armoire de la salle de bains, mit la main sur le flacon de Tylenol et trouva ce qu'elle ne cherchait même pas, une petite bouteille de comprimés qui assommaient chaque soir sa mère pour la nuit et laissaient un goût métallique dans la bouche. Elle fourra tout ça dans la poche de son pyjama et retrouva le tas de flanelle usée jusqu'à la corde qui lui servait lieu de draps.

Lorsque le jour pointa, Sam découvrit devant la porte entrebâillée de la chambre de sa sœur la bouteille de somnifères qui avait roulé jusqu'au garde-corps de l'escalier. Il laissa tomber sa tasse de café, qui éclaboussa la plinthe blanche, et se précipita à son chevet. Sur la table de nuit, il y avait un petit couteau qui affola plus tard toute la famille. Le corps de Liliane était là, bien en vie, mais la fille avait plongé tête première dans un trou plus noir que le village. La descente ne dura pas l'éternité, qui lui aurait peut-être été plus agréable si elle s'était présentée à elle sous la forme d'une mort douce. Quelques jours plus tard, elle toucha terre à Québec, dans la section de pédopsychiatrie d'un hôpital fait de béton armé.

*

— Tais-toi.
— À qui tu parles?
— À personne. Dors.
— Tu me fais peur.
— Dors.
Soupirs.
— Shhh.
— Chut, toi aussi.

Maria et Liliane avaient dix-sept ans; le psychiatre qui les soignait depuis plus d'un mois avait trois fois leur âge. Les filles de la chambre d'à côté s'étaient bagarrées ce jour-là à propos d'un vêtement volé, une veste noire en laine bouillie pas très seyante que la préposée avait retirée de la cuvette des toilettes. La plus jeune, accusée du vol par sa voisine de chambre dont elle avait tordu le poignet, avait été placée en isolement après avoir craché au visage de l'infirmière. Nue comme un ver, assommée violemment avec une injection-massue dans la fesse, dérangée par un faisceau de lumière à chaque heure, elle maudissait en silence ses parents et, jusqu'à la sixième génération, la famille du médecin. L'atmosphère était à couper au couteau. On aurait fait sauter l'aile des jeunes folles en craquant une allumette dans le couloir.

L'hôpital évoquait à certaines patientes le presbytère beigeasse de leur paroisse, à celles qui ne jouaient pas le jeu des médecins il faisait penser à une prison. L'aile pour adolescents du centre de pédopsychiatrie est l'antichambre de l'enfer, dont l'unité sécurisée, réservée aux jeunes — dangereux ou pas —, vivants fous, zombies, ogres ou amibes de meurtriers, tombe en ruine dans un style bunker décati : murs lézardés, sourires du diable en forme de fleurs de moisissures aux quatre coins des pièces, vague odeur d'urine dans les chambres. Ces fous n'ont pas encore le droit de vote, ils ne peuvent ni fumer ni se soûler légalement, ils n'ont pas encore compris comment rentrer dans les rangs et la cage du monde pour être comme les autres, mais ils sont là, fatigués et vivants.

— Oui, mais les autres n'entendent pas ce que j'entends.

— Prends. Bois. Endors la bête.

— Oui, mais les autres ne voient pas ce que je vois.

— Et ils sont bien contents de voir le monde comme il faut.

— Oui, mais le monde parle. Il envoie des images et des voix. Il commande, le monde.

— Le monde commande rien. Dors.

On n'entre pas dans leur château, bunker, prison, tête, comme dans un moulin. Leur tête est un labyrinthe sans le dessin des haies et des buissons, sans parcours.

Les filles recevaient la visite de leurs parents, d'un membre de l'équipe médicale, des préposés, d'un autre patient, et parfois d'un avocat, lorsque les règles du monde établies par les grands hommes n'avaient pas été respectées.

Les parents de Liliane vinrent la visiter. Si la première rencontre se déroula selon le protocole (on avait transformé la jeune furie en moine zen à coups de calmants), la deuxième scella son destin à l'hôpital.

Elle s'était arrangée pour retrouver son père en tête à tête dans sa chambre. Elle lui avait alors balancé ce qu'elle savait. Il la dégoûtait. Les hommes comme lui, les vieux qui ont encore vingt ans dans leur tête et qui couchent avec la meilleure amie de leur fille, devraient prendre sa place chez les fous. Il lui avait dit de se taire. Liliane avait visé les parties en le frappant. Plié en deux, il lui avait promis de la laisser chez les fous pendant les fêtes de Noël. Il avait perdu aux yeux de sa fille sa qualité de père.

Maria entendait des voix d'hommes, de femmes, d'enfants, mais jamais celle des dieux, ou de Dieu. Elle disait que des morts s'adressaient à elle à toute heure du jour et de la nuit, et que ces voix l'empêchaient de dormir. Elle disait que l'insomnie la rendait folle, mais pas les voix. On aurait pu l'envoyer à l'étage des fous d'un hôpital de sa région, mais il manquait de personnel qualifié en pédopsychiatrie, elle aurait partagé le quotidien des adultes et cela l'aurait fragilisée davantage. Sa mère avait préféré la confier aux médecins spécialistes de Québec.

On administrait à Maria des antipsychotiques pour faire taire le monde dans sa tête. À son arrivée, elle avait pris les anxiolytiques mais recraché les antipsychotiques. L'infirmière lui avait expliqué que c'était pour son bien et celui des autres, alors, pour acheter la paix, Maria prenait désormais tout ce qu'on lui donnait. Elle assurait à l'équipe médicale que les voix s'étaient enfin tues, que les images n'étaient pas revenues, mais à Liliane, le soir, elle disait le contraire. Elle disait à Liliane que le film de la vie des autres et les voix étaient toujours là, bien en elle, et qu'il y avait beaucoup trop de gens dans sa tête.

La nuit, elle chuchotait des mots de réconfort à l'oreille invisible de ceux qui s'adressaient à elle. La nuit, Liliane lui disait de se taire, d'une voix douce et amicale.

*

Avec la bénédiction du médecin, la mère de Maria proposa de ramener Liliane à ses parents pour le Nouvel An. Malabourg était sur son chemin.

La veille du départ, le silence se fit dans la tête de Maria, comme si la magie des drogues psychiatriques venait de commencer. Les voix se mirent à ressembler au bruit des vagues amorti qui se rend jusqu'à nous lorsqu'on porte à notre oreille un grand coquillage à l'apparence obscène. Elle n'avait pas l'habitude de ce genre de silence et prit peur.

ROSA CENTIFOLIA
Voix de Maria

Trou noir. Il n'y a pas de parois, il n'y a pas de fond ; on tombe. Comme dans la gueule d'un monstre, tout autour il y a le noir. Dans le noir il y a toutes les couleurs, toutes les voix, tous les morts. Avant de mourir, j'entendais même les morts, et je répondais aux moins bêtes, à ceux qui avaient quelque chose d'important à dire. Maintenant c'est mort, silence de mort, noir d'encre. On ne s'adresse plus à moi alors j'invente des voix qui me tiennent compagnie. La vraie folie, c'est le silence des autres. Dans la solitude exemplaire de la mort, on est vraiment fou.

Je garde en mémoire plusieurs voix, dont celle de Liliane. Lili était bizarre, mais on était toutes bizarres à l'hôpital. Elle ne parlait que de son amie Geneviève, qui avait été tuée au début de l'automne, et de son père. Elle disait toujours la même chose à propos de son père. Elle disait que ce n'était pas lui. Elle disait : «Je ne sais pas qui est mon vrai père.» Elle était persuadée que sa mère avait trompé son fiancé dix-sept ans plus tôt et que le fruit de cette aventure, c'était elle.

Elle détestait son corps. Elle allait chercher en rêve, chez les belles filles de son village et les stars du monde, ce qui lui manquait pour être complète. Les seins devaient être plus fiers donc plus hauts, la peau du visage ravalée, le ventre musclé, l'utérus plus discret sous les muscles du ventre retendus, la lèvre supérieure pulpeuse, les chevilles plus droites, les poils détruits, les cheveux transformés comme ceux de Geneviève; la liste des interventions qui l'auraient transfigurée est longue, un serpent qui s'enroule, une litanie qu'elle répétait comme une prière chaque jour au moment de la toilette, à sept reprises parce que le chiffre sept était son dada, sa folie. Dans la vie de Liliane, il y avait Lili mal faite et les bouts de filles idéalisées, choisis pour désamorcer la bombe de la maturité à venir. Des morceaux de glace brisée pour scalpels, des bouts de corps femelle coupants pour ouvrir sa viande en cauchemar et en tirer la beauté du monde, un fantasme né de la stérilité de son désir d'être parfaite.

*

On a quitté Québec au milieu de l'après-midi. Lili s'est installée derrière avec un livre, j'ai pris le siège de devant pour parler avec maman, mais on ne s'est rien dit durant le trajet. J'ai dormi jusqu'à

Malabourg, où les parents de Lili nous attendaient pour le souper.

Je suis tombée à quatre pattes dans le gravier gelé en sortant de la voiture, une casserole rouillée datant de la guerre du Golfe que maman avait achetée pour presque rien en 2006; j'avais les jambes en coton à cause des médicaments et du voyage.

La mère de Lili a désinfecté la paume de ma main droite avec de l'alcool. Le grand fils des lieux la regardait faire en silence. Je lui ai tendu la main gauche. Il a attendu quelques secondes avant de la serrer mollement (la sienne était coupée à plusieurs endroits). Il fixait mon épaule. Il avait l'air triste, il avait un regard de chien battu. Il a marmonné un truc à son père, qui se tenait derrière et qui lui a demandé s'il restait des bûches. Il tripotait une statuette en bois que sa mère a rangée dans la cuisine avant d'apporter la soupière. Il avait l'air d'un jeune homme mais on le traitait comme un garçon. Il a fait semblant de s'intéresser à la cuisine d'hôpital.

«Qu'est-ce qu'on vous a donné à manger à Noël?»

Lili a répondu : «Du chou blanc, des betteraves, des carottes, des patates, des tomates, un pâté, des brownies secs et sans noix. C'étaient pas des brownies, en fait. C'étaient des carrés au chocolat sans noix. Mais dans le jargon d'hôpital, ça s'appelle des brownies.»

La mère de Lili nous a servi une soupe à l'orge en entrée ; ensuite du saumon à l'aneth, et pour le dessert des crêpes fines à la compote de pommes. « Nappées de sirop d'érable », a dit maman, alors qu'un simple « au sirop d'érable » aurait été suffisant. Elle en fait toujours trop pour impressionner les gens.

Le grand fils faisait du bruit en mangeant sa soupe. Il se mouchait et s'essuyait la bouche avec la serviette, après quoi il reposait le truc souillé sur la table comme si c'était un trophée. Je le regardais de temps en temps, à la dérobée. Je n'ai pas pris de soupe — un potage qui rappelait le manger mou qu'on nous servait à l'hôpital —, juste du poisson, et je me suis resservie au dessert.

« Décédé, oui, accidentellement, a répondu maman à l'hôtesse — que la souffrance des autres ne touchait visiblement pas et qui jouait le rôle de celle qui reçoit.

... Mineur, oui.

... Le montant habituel.

... Portait pas de casque de protection. Ça lui donnait des boutons sur le front, une allergie cutanée.

... Ses collègues ne se souviennent plus.

... Ça fait deux ans. Merci (maman a essayé de sourire).

... Oui, j'enseigne. Le français. »

La tempête s'était levée pendant le repas, entre le saumon et les crêpes. Dans la lueur du lampadaire, la voiture garée près du puits avait disparu sous la neige. J'ai vu à travers la fenêtre un gros chat blanc, devenu presque gris après s'être sans doute caché et roulé en boule sous la voiture pour se protéger des rafales, la fourrure en désordre, pisser sur un banc de neige.

★

Les bras de Sam sont si longs que les manches de son pull ne couvrent pas la saignée. Il est maigre, on voit la boule poilue de son poignet, un oignon osseux avec de la peau et des poils dessus. Il a allongé le bras droit pour déposer l'idole de bois sur le comptoir derrière lui sans se retourner, puis il a ramené ses mains sous la table — il avait terminé son assiette avant tout le monde. Ensuite, il a fixé un point derrière l'épaule de sa mère. J'ai vu des fous faire ça à l'hôpital.

Lili disait aux filles de l'aile des folles que son frère ressemblait à un céleri sec.

★

L'horloge ronde accrochée au-dessus du four, à l'endroit où il devrait y avoir une hotte, indiquait 19 h 30. Lili voulait me montrer le lac aux Renards.

Elle a dit à l'homme qui lui servait de père qu'on allait marcher un peu pour digérer, il neigeait mais le vent était tombé. Il nous a demandé où. Elle a dit «On va voir la mer». La mer, ça allait. On a enfilé nos bottes, nos duvets, nos tuques; j'ai emprunté des gants de cuir à Sam, et Lili a mis une paire de mitaines en laine thermale. Son père nous a déposées près du quai. Il allait acheter du vin pour les femmes et de la bière pour son fils. Lui, il buvait du whisky. La famille de Lili n'avait pas l'habitude de réveillonner avec des étrangers, mais l'année 2007 avait été singulière.

On a remonté la côte du quai comme des bouffonnes, en titubant à cause du temps et de la neige au sol. On a traversé la route et on s'est engagées dans le sentier à moitié déblayé qui mène au lac gelé. On a franchi le bois en dix minutes. Pendant la saison morte, le soir, l'ombre d'un arbre sur la neige éclairée par des lampadaires plantés à chaque extrémité du sentier tombe en travers du chemin. L'ombre nous tombait aussi dessus, un tronc d'arbre aussi léger que la ouate. La neige crissait sous nos pas, et je me rappelle très bien qu'entre deux pas (nos pas étaient coordonnés, deux soldats bouffons), j'entendais à contretemps quelque chose, ou quelqu'un, plus loin à notre droite, hors sentier : des pas pesants, plus longs que les nôtres, qui s'enfonçaient plus profondément dans la neige.

Lili était très bavarde, un moulin à paroles, elle était émue. J'ai détourné le regard quand sa voix a flanché devant le lac.

«On l'a trouvée près du filet.»

Elle disait que chaque dimanche, le fleuriste déposait une rose à l'endroit exact où le corps de Geneviève a été repêché. Sur l'horloge du lac, Lili pointait 3 heures avec le pouce de sa mitaine. J'ai remarqué qu'il n'y avait pas de roses sur la glace.

«Il est pas venu, aujourd'hui?

— Tiens, c'est vrai.

— Il est peut-être malade.

— Ou il est peut-être tout simplement passé à autre chose, ou à une autre fille.»

Le fleuriste est arrivé par le sentier nord. Il a déposé la fleur sur le filet du but.

«Admirable! C'était comme ça tous les soirs avant mon départ pour le bunker. Je le trouvais fou, mais maintenant c'est lui, comme tous les autres, qui doit me trouver folle.»

Lili a plissé les yeux pour mieux voir. Elle ne portait pas ses lunettes à l'hôpital. Elle ne supportait pas les verres de contact, mais ses lunettes lui mangeaient la moitié du visage alors elle préférait plisser les yeux. Elle savait que plisser les yeux faisait vieillir

47

la peau, mais entre deux calvaires elle avait choisi celui des rides précoces et des migraines oculaires.

Alexis nous a saluées de la main. Il a repris le sentier, ou un chemin de traverse, je ne sais pas, il faisait nuit et je ne connais pas cette forêt. J'avais devant moi un lac figé, une patinoire déserte, un cauchemar d'automne et un coureur des bois. Le mercure avait déjà pris la mesure de janvier, il fallait rentrer, je voulais rentrer.

À mi-parcours, au cœur du bois, hors champ des lampadaires, quelqu'un m'a attrapée par les épaules. Lili était loin devant, elle ouvrait le chemin, et les oreilles de son chapeau de fausse fourrure la rendaient à moitié sourde. J'ai perdu connaissance à plusieurs mètres d'elle. Quand j'ai rouvert les yeux, l'eau dans laquelle je baignais n'était pas glacée. Enfin, elle ne l'était pas à mon sens, pour mes sens morts. Et j'ai compris pourquoi les voix racontaient la vie des autres mais jamais la mienne ni mon avenir.

Je pense souvent à maman. Elle n'est plus mère depuis que je suis morte.

DEUXIÈME PARTIE

MINA

2007-2009

LA CLEF

Entre le mont Silverwood et la mer, à l'ouest de Mowebaktabaak et à l'est de Segabun, les gens sont pour la plupart athées, mais dans l'intimité ils s'en remettent par moments à un dieu qui n'a pas de visage et qu'ils ne savent plus invoquer. Malabourg était en deuil et les familles étaient à leur façon sur le qui-vive, le tueur courait toujours les bois. La mère de Geneviève portait entre les deux seins une croix en or qui avait été trempée dans l'eau de mer. La mère de Liliane gardait dans son sac à main une icône de la Vierge rapportée de Russie par une amie. Dans une version narcissique de l'eucharistie, une communion avec elle-même, pur produit de *l'ère du Verseau*, la mère de Maria se rongeait, à trente minutes de voiture du village, les ongles et les sangs. Et les pères? Eh bien leur pudeur est la colonne de Malabourg, qui n'a pas de centre, qui ne s'est pas développé autour d'une église mais le long de la route et en bordure de la mer.

Le vagabond ne migra pas, bien qu'il fît un froid de glacière depuis la Saint-Sylvestre. Au lieu de descendre au sud avant les grands froids d'hiver pour s'installer à Québec ou à Montréal, où il aurait trouvé un refuge parmi les siens, le bougre choisit de squatter le hall d'une école primaire transformée dans les années 80 en centre communautaire. Il fit de ce banc de bois planté dans le hall son lit d'hiver, sa table, sa chaise et son autel, l'autel pour la parodie blasphématoire qu'il pratiquait souvent la nuit et pour laquelle il n'avait aucun public. Il parlait une langue qui lui était propre, et sa voix était rauque, usée, comme s'il se remettait en permanence d'une mauvaise grippe. La seule partie de son sabir de nuit qui aurait été compréhensible s'il avait eu un auditoire, c'était le moment où il chantait les prénoms des trois filles, celle qui était morte et les deux autres, disparues pendant le réveillon du Nouvel An. Les Malabourgeois les plus soupçonneux le voyaient en monstre, mais personne n'osait lancer une vendetta contre lui. La peur superstitieuse s'était accrochée aux jarrets du monde, tandis que le silence épais du deuil enveloppait Malabourg.

★

Maintenant, prenons une jeune femme singulière, à l'intuition de chat, amoureuse mais seule. C'est le mouton noir du village. Imaginons que cette femme puisse surveiller l'homme qu'elle convoite avec une grande liberté, du fait de la folie qu'on lui suppose et qui la rendrait pratiquement invisible. Retrouvons le décor naturel de cette histoire d'amour à sens unique qui en cache une autre, plusieurs autres, comme une poupée gigogne de récits, et remontons avec Mina le temps de l'histoire jusqu'à la mort de Liliane.

LA TOMBE

Mina étudiait les gens. Par la pratique du silence, elle n'entrait pas vraiment en relation avec les autres mais les contemplait, elle avait réussi à identifier chez ceux qui l'entourent la faille dans laquelle la mort commence à germer, une faiblesse. Elle avait étudié Alexis comme un sujet de thèse, l'avait tricoté et détricoté mille fois.

Il était 20 heures lorsqu'il sortit de chez lui ce soir-là, après le repas du Nouvel An. Elle le suivit jusqu'au lieu de culte qu'il visitait tous les soirs depuis la découverte du corps de Geneviève. Il était en retard sur son horaire.

Liliane et Maria marchaient dans le sentier. Mina avait pris le sillon des bêtes qui ne suivent pas les flèches. Elle est fine, mais elle s'enfonçait profondément dans la neige. À chaque pas elle se battait contre le vent et la neige, une neige chiante qui mouillait les chaussettes trouées en passant par le haut de la botte et gelait les orteils repliés comme des griffes de bête. L'inconnue qui accompagnait Liliane sentit quelque chose. Son regard coula dans sa direction. Il faisait un noir de grotte, la veille du jour de l'An était opaque, une nuit sans étoiles. Mina attendit un moment, le temps qu'elles s'éloignent, et reprit sa marche.

Les autres étaient bien au chaud près du feu de cheminée qui sent le soufre. Ils chantaient des cantiques, se bourraient d'alcool fort et de mets gras, jouaient à des jeux de société dont ils devaient relire les règles chaque année. Le soleil de minuit était un lampadaire dans la rue.

Mina se posta derrière un grand sapin près du lac. Elle vit Alexis trébucher sur la patinoire. Il ne portait pas de mitaines, la neige mouillait les manches de sa veste sous la parka. Il se releva aussitôt et se tourna comme un automate vers le village.

L'ampoule d'un lampadaire qui éclairait faiblement la patinoire grésilla, le seul vrai bruit à percer le calme du soir et à faire compétition au vent, puis elle éclata. Alexis revint sur ses pas pour esquiver les filles, elles l'intimidaient, il n'avait pas envie de parler. Il n'avait par remarqué la présence de Mina, qui ne le perdait pas de vue dans la petite tempête venant par coups, entre deux plages de silence, par rafales, et qui laissait sur son passage un tapis de neige épais, des branches cassées qu'il fallait éviter si l'on voulait rester dans le coton du silence hivernal que le crac d'une branche cassée par un pied maladroit aurait brisé.

Si elle avait entendu Maria tomber dans la neige, s'il n'y avait pas eu le vent, la neige, le tampon de la laine du chapeau, les vêtements d'hiver et plusieurs pas entre elles, Liliane aurait pu se sauver, parce que dans le bois, l'hiver, dans le noir et le vent, un monstre n'aurait pas pu la rattraper à moins de connaître l'endroit comme sa poche. Les obstacles sont les mêmes pour tous, mais l'avantage est toujours du côté de celui qui a l'habitude de courir le bois et qui sait où se trouvent les veines secondaires sur le terrain, les voies hors sentier qui mènent au village plus rapidement et qu'on ne peut emprunter que si l'on a grandi dans les parages.

Le premier coup tomba à un point précis derrière la tête, entre les deux tendons, sous le bombé que la tuque doublée de laine de mouton protégeait du froid. Le sort de Maria fut scellé.

L'homme avait attendu que Liliane soit loin devant pour attraper Maria par-derrière : l'intérieur du coude sur la bouche, prise ferme, la main agrippée à la fourrure du chapeau, le pouce dans les cheveux. Elle tomba à l'extérieur de la zone déblayée, au pied d'un sapin baumier, la gueule dans la neige, la tête dans le froid.

Cachée derrière l'arbre, à l'abri du rayon projeté

par le premier lampadaire du sentier, Mina avait assisté à la scène.

L'homme traîna Maria sur plusieurs mètres dans la neige tassée, puis la chargea sur son dos comme un sac de cadeaux. Il n'y avait pas de sang, la neige était propre. Maria avait le nom de son amie sur le bout de la langue, mais le froid et la précision du coup l'avaient isolée du monde.

Il se rapprocha du lac, la déposa près du hangar. Il retira ses gants de veau, tâta le cou. Le pouls était faible, presque mort. Il l'abandonna et revint sur ses pas en courant dans le sillon laissé par le corps au milieu du sentier, le nordet le poussait vers le village.

Il arriva derrière Liliane. Mina quitta sa cachette. Elle ne connaissait Maria ni d'Ève ni d'Adam. L'existence de cette fille se résumait pour elle au mouvement de la main qu'elle l'avait vue adresser à Alexis sur le lac et à cette intuition animale qui l'avait poussée à se retourner, au bois, mais qui ne l'avait pas protégée du reste. Affairé sur le dos de Liliane, la tête dans la tempête, le type ne perçut pas tout de suite le mouvement derrière lui.

Mina enleva son chapeau et le glissa sous la tête de Maria. Les mitaines l'empêchaient de dénouer le foulard, elle les retira. Elle palpa le cou, chercha le pouls, maladroitement, du bout de ses doigts engourdis, sentit quelque chose de flou, se ravisa, voulut ranimer le corps, se demanda comment ranimer un corps l'hiver, mais au moment où elle posait ses lèvres sur celles de la moribonde, un des chats d'Alexis passa entre elles et fila vers le lac.

La résurrection était impossible, Mina laissa la neige recouvrir les pieds, le buste. Avec le dos de sa main, elle balaya doucement le visage de Maria, dégagea une mèche de cheveux gelée prise entre les lèvres. Elle entendit une voix masculine, se retourna, et deux mains la saisirent par les épaules. Le type portait une chapka et il avait remonté son cache-col jusqu'aux yeux — un ovale de glace s'était formé au niveau de la bouche —, mais le regard était signé.

HOCKEY

Sa voix était chaude et pure, sans aspérité, comme si le son prenait naissance au cœur de l'homme et suivait un chemin parfait jusqu'à l'oreille de l'autre. Ce n'était pas la voix du vagabond, c'était une voix de mâle alpha, une voix de maire.

Le vent s'était calmé, ils pouvaient parler sans crier. Il lui ordonna de partir et de se taire. Il la menaça.

— Sinon tu sais que c'est toi qu'on accusera.

Le vent remettait le corps de Maria au monde en poussant la neige sur les côtés.

— Il y a tes empreintes sur son visage, et ta salive sur ses lèvres, dans sa bouche. Je t'ai vu faire avec elle.

Il ajouta :

— Je m'occuperai du reste.

Elle allait quitter la berge, mais il avait autre chose à dire. Elle était incapable de le regarder dans les yeux, elle cherchait au loin un arbre sur lequel concentrer son attention. En replaçant sa chapka qui dégageait l'oreille droite, il dit :

— Tu sais que les gens ne t'aiment pas. Pour elles, tu ne peux pas comprendre.

Il n'était pas très grand, mais il avait la force d'un mauvais général. Elle décampa.

Elle traversa le bois, mais pour aller plus vite elle emprunta cette fois-ci le sentier. Le bourdon entêtant du sang aux tempes rythmait son pas. Elle s'arrêta à mi-chemin et s'appuya contre un arbre qui avait été planté par les fondateurs de Malabourg, une plaque commémorative le rappelait aux gens. Un point de côté la ralentissait, elle enfonça le pouce dans son flanc pour déloger la douleur, puis se plia en deux et vomit le jus de framboise qu'elle avait avalé à la hâte avant de partir. Elle tombait depuis le bois. Elle reprit son souffle, le point de côté disparut mais elle tomba, se releva, retomba en jurant tout bas. Elle se retourna : personne. Elle reprit la route, sonnée, en fredonnant à part elle la pièce musicale au son de laquelle elle s'était réveillée pour chasser les monstres qu'elle voyait partout, des formes prises entre les ombres des branches, des cris d'une autre espèce dans le silence et les bourrasques, des bruits de pas lourds qui s'approchaient dans l'invisible. Elle était seule et dans la merde. Elle n'avait jamais été aussi seule.

L'homme, quant à lui, était occupé au point de chute à faire disparaître les corps des deux filles qu'il venait de tuer. Il était certain que Mina ne parlerait pas.

★

À l'extérieur de la zone du jeu de hockey, à l'aide d'une pelle dissimulée derrière le hangar où les jeunes rangeaient les équipements de sport avant de rentrer le soir, l'homme dégagea la neige qui s'était accumulée, fendit la glace à cet endroit et créa un trou dont la circonférence permettait le passage dans le lac d'un corps à la verticale.

Liliane entra dans l'eau comme une championne olympique. L'homme avait accroché un objet assez lourd au pied droit. Un visage mort, gardé dans la poche d'air entre l'eau et la glace, sous les corps vivants des enfants qui patineraient sur la surface glacée dans les jours suivants, ça bouleverserait l'équilibre du village en deuil. Ce qu'il ne sut jamais c'est que le poids qu'il avait attaché sommairement au mollet se déposerait à quelques pieds seulement de la surface du lac, sur un haut-fond que le sonar de son bateau repérait pourtant, lorsqu'il naviguait, l'été, et à cause duquel il devait alors relever son moteur menaçant de caler.

Il retourna sur le lieu où Mina avait essayé de maintenir en vie Maria. Il s'assura, en appuyant sous le lobe de l'oreille gauche, que la fille était bien morte. Il sentait sous le majeur et l'index son propre cœur qui pompait le sang, son pouls camouflant celui de Maria, dont le petit cœur se battrait jusqu'à la fin, jusqu'à ce que l'eau du lac gagnât les poumons.

Quelques secondes après l'immersion, des bulles éclatèrent à la surface. Le petit homme ferma les yeux en soupirant et empoigna la pelle pour combler le trou du caveau. La pire besogne de sa vie. Un chat gris avait vu la scène, le cul face au lac. L'homme se retourna et le vit, dans toute sa splendeur de bibelot à poils. Il lui lança une balle de neige à la tête en jappant à voix basse pour le faire déguerpir. Un regard de trop, ce soir-là; même les yeux d'un chat lui rappelaient ceux des deux filles. L'animal cracha dans sa direction, la queue bandée vers le ciel, et partit en miaulant.

*

Alexis avait cherché son chat partout, même chez ses parents. Par la fenêtre il vit Mina qui traversait la rue en courant, le manteau détaché, en cheveux, sans mitaines. Il était 22 heures. Il sortit et l'appela.

— As-tu vu le Gris?

Elle s'arrêta sur une plaque de glace garnie de neige. Elle chancela. Alexis était sur le seuil, en pantalon de jogging, T-shirt Nirvana et pantoufles noires. Elle posa la main sur la rambarde pour se stabiliser. «Quoi?» Il lui trouva un air fou. Lui demanda si ça allait. Elle lui souhaita «Joyeux Noël» et s'enfuit aussitôt.

Elle gagna sa chambre sans souhaiter la bonne année à ses parents qui s'amusaient dans le salon, se déshabilla dans le noir et ne fit pas sa toilette. Elle s'endormit en position fœtale, un oreiller entre les cuisses, la tête cachée sous l'édredon troué. Elle dormit d'un sommeil sans rêves.

*

Léon n'était pas très grand et il était assez charmant avec les Malabourgeois qui le reconduisaient à la mairie depuis la fin des années 90; un manipulateur professionnel. Au village on l'appelait Monsieur le Maire, avec une pointe de déférence moqueuse. À la fin de l'hiver, sombre et taciturne, il était forcément au plus mal. Le temps était sale, la vie mauvaise comme un film d'horreur de série B. Il se répétait pour se rassurer que les filles méritent leur sort. Même sa fille, dont il n'était probablement pas le père biologique; sauf sa fille, dont il ne savait pas si elle était de lui ou d'un amant que sa femme avait eu juste avant leur mariage. Il ne savait plus. Il ne savait pas. La mort de sa maîtresse enceinte, la disparition de sa fille et de cette Maria folle, les songes qui l'empêchaient de dormir son dû : le calvaire d'un pauvre type. Était-il malade, méchant, mauvais, d'un narcissisme de petit maire qui aurait poussé comme de la mauvaise herbe à la place du cœur? La souffrance qui fait basculer un homme ne peut pas être interrogée, elle ne livre pas ses secrets sous la menace. On ne peut pas la tester au polygraphe.

Les garçons en âge de jouer au hockey sur la patinoire du lac avaient formé deux groupes, les bleus et les rouges; la neige sale venait compléter le drapeau.

Le maire était de service, c'était à son tour de surveiller les jeunes et de jouer à l'arbitre. La surface du lac était encore gelée, la glace mesurait au moins dix centimètres, mais quelques oiseaux annonçaient déjà la prochaine saison. Les enfants les plus téméraires ou qui avaient échappé à la vigilance parentale se promenaient sans gants. La peau fine entre leurs doigts était crevassée; certains s'imaginaient que s'ils léchaient les gercures, la peau retrouverait sa qualité.

Alexandre n'avait pas l'habitude de jouer en position défensive. Il préférait attaquer, la feinte, la vitesse, le vent à travers le foulard, la glace ébréchée par les patins qui monte jusqu'aux joues, et marquer en faisant tomber le gardien de but de l'équipe adverse; surtout marquer, comme tous les garçons de son âge c'est ce qui l'excitait. Il croyait alors changer le cours des choses en existant pour cette rondelle de caoutchouc au fond du filet.

Le garçon s'ennuyait ferme dans sa position en retrait. Il rêvassait. Il avait penché la tête et s'amusait à faire des trous dans la glace avec la lame de son patin. Il vit apparaître une crinière de gorgone et se figea sur place, incapable de regarder autre chose que cette masse sombre. Il n'eut pas le temps de crier ni de se demander pourquoi la glace était plus mince à cet endroit. Il reçut la rondelle sous l'œil gauche. Une larme gela sur sa joue, une ecchymose allait se former dans peu de temps. Il perdit connaissance, tomba mollement sur le dos, le crâne protégé par un casque rigide et le reste du corps par la combinaison que lui avait transmise son frère aîné. Il oublia les quinze dernières minutes, monstre de fille et accident de hockey.

HAUTE PUANTEUR

Alexis importait des semences, des bulbes, des turions, des pousses exotiques que les chats installés dans son atelier comme des bibelots animés avaient la respectueuse habitude, dictée par l'instinct, de laisser tranquilles. Il commandait des produits sur Internet et élevait ses plantes, fleurs et arbustes dans une petite serre qu'il avait fait construire près de son cabanon personnel dont l'apparence, crottée, un savant désordre, n'avait pas changé depuis la mort de Geneviève.

Les autorités canadiennes ne le laissaient pas importer ce qu'il voulait cultiver, chiennes de garde du territoire, elles ne lui avaient pas fait de cadeau. Il avait appris à négocier, et il s'était enfin aménagé un jardin, une serre; il avait fondé un commerce dont il tirait une fierté quasi paternelle. Il produisait, vivait modestement dans la cour arrière de la résidence familiale. Il versait une pension à son père, paternel vieux jeu dont l'ancêtre, arrivé dans la région en 1663, était un Godard. Jean Brown contrôlait tout à la maison, y compris les comptes de sa femme, qui aimait recevoir du courrier au nom de Mme Jean Brown. Mme Jean Brown ne parlait pas un mot d'anglais, croyait moyennement en Dieu, mais tout ce que disait son mari était pour elle parole d'évangile.

Alexis traversait chaque jour le village avec une brassée de fleurs fraîchement coupées dans les bras, dans sa voiture ou dans la caisse qu'il avait accrochée à sa bicyclette. Il allait de commerce en commerce, et, deux fois par semaine, le mercredi et le samedi, il longeait la baie en voiture et allait de village en village. On venait de très loin pour les fleurs d'Alexis, qui se déplaçait pourtant de bon cœur pour les distribuer. On lui rendait visite à l'atelier, il voyait du monde et rencontrait ses clients dans les municipalités voisines. Mais il était seul. Le soir, après la foule du quotidien, il retrouvait ses chats, la télévision et ses fantômes. Il avait repris du poil de la bête, avait fait en apparence le deuil de Geneviève, il était moins fou de son souvenir, mais il était seul. Il offrait à ses clients un visage tendu, de solitaire ou de curé frustré. Il avait le même visage qu'avant la mort de sa rose, mais lorsqu'il se rasait le matin (ou le soir, lorsqu'il envisageait de tourner dans la région le lendemain), c'était le reflet d'un visage de papier mâché qui le fixait dans la glace. Il trouvait que la mort était trop facile à préparer avec une lame, il se résigna à vivre comme il faut, selon ses moyens.

L'odeur de la rose lui procurait un soulagement temporaire ou une petite mort d'une fraction de seconde — la détente, un relâchement —, comme l'espèce de jouissance de secours que procure l'éternuement. La rose, donc, l'odeur de la rose sans épines. Alexis avait appris dans les cours qu'il suivait par correspondance qu'en mélangeant à de l'alcool non dénaturé ou à de l'huile de jojoba quelques essences de fleurs ou de bois, on pouvait créer un parfum naturel mais pas très tenace. Il décida que cette odeur composée par lui était plus agréable que celle de sa peau savonnée sous la douche.

Par le truchement des chats, grâce à la puanteur animale, aux effluves d'ammoniac et d'excréments dont il ne se débarrassait qu'une fois par mois, parce qu'il le fallait, il oublia l'odeur de mort et de rose qu'il avait attribuée à Geneviève et que le temps avait transformée en obsession, une odeur musquée de peau de jeune femme blonde presque cendrée, mais moins sucrée que celle de la rose d'Alexandrie. C'était une atmosphère de haute puanteur, un coup de fouet qu'il s'administrait quotidiennement pour assommer et calmer son nez amoureux.

Madame Ka était allergique aux parfums commerciaux. Elle avait demandé à Alexis de lui créer une eau naturelle et sucrée. Le résultat fut une eau sans grande tenue sur la peau des autres, mais que le cuir ridé et gras de cette patronne du bar du village aimait bien. C'était une formule facile, écœurante à cause du jasmin et de la vanille dont il avait abusé, qui puait le bouquet de mariée et le gâteau de noces bon marché, mais cette puissance sucrée était suffisante pour dissimuler l'odeur de sueur fétide que la dame Ka traînait matin et soir, été comme hiver, et celle de la crasse bien installée dans les plis des aisselles et des biceps mous de cette rousse naturelle passée à la teinture de la vieillesse. Le parfum de crème brûlée au jasmin mélangé à l'odeur rance des aisselles, pommes blettes immangeables, conférait à Madame Ka une odeur personnelle qui plaisait aux hommes : elle sentait le sexe et un peu le sale. À son âge, c'était déjà pas mal.

L'EAU DE KA

Base

— *Alcool non dénaturé (voir Barry)*
— *Eau distillée ou hydrolat de rose de mai*
— *Glycérine*

Concentré (25 %)

— *HE bois de santal*
— *Absolu vanille*
— *HE rosa damascena (Bulgarie)*

— *Absolu rosa centifolia (Grasse)*
— *Absolu jasmin*
— *HE ylang-ylang*
— ~~*HE pelargonium bourbon*~~ *Gousse de vanille bourbon en macération.*

★

On frappa à la porte. Couché en chien de fusil, un stylo et un carnet de notes à portée de main, Alexis ne broncha pas. On sonna, d'abord poliment, puis comme un enfant mal élevé. Il se leva, chaussa ses lunettes et enfila le jean de la veille et un pull troué, prêt à incendier le petit effronté.

Mina s'excusa.

— Je peux te parler?

Il ajusta ses lunettes et soupira.

— On peut se voir plus tard, ailleurs? Il est 9 heures. C'est encore la nuit, pour moi.

Il lui donna finalement rendez-vous à 14 heures au phare, que la province avait condamné en 1978 puis transformé, six mois après le décès de René Lévesque, en un musée ordinaire que les jeunes squattaient au printemps, avant l'arrivée massive des touristes, et à l'automne, après leur départ et jusqu'à la première tempête de neige.

L'hiver, le phare était une vraie planque, on pouvait s'y cacher, s'embrasser ou fumer à l'abri du jugement des cancaniers. La glace isolait les murs mangés par le temps, mais le vent s'engouffrait à l'intérieur en passant et en sifflant entre les planches de bois les plus faibles.

À 9 heures, il faisait −21 °C. Le froid engourdissait les cuisses sous les jeans, les lèvres et le bout du nez. À 14 heures, il aurait perdu du terrain, Mina et Alexis n'auraient pas cette élocution d'ivrogne qui rend toute conversation sur le pas de la porte ridicule et vaine. La salive crachée n'aurait pas la consistance du mucus, et Alexis apprendrait de la bouche de cette fille qu'il trouve bizarre, donc suffisamment intéressante pour accepter une rencontre au phare, qu'elle cherchait un endroit où crécher à Montréal. «Tu pourrais me donner le numéro de téléphone de ton ami qui a une chambre à louer près du parc Lafontaine?» Oui, il ferait ça. Mais elle n'irait pas. Pas tout de suite en tout cas.

★

La glace de la patinoire résistait encore sous le poids des jeunes hockeyeurs innocents, excités par la rondelle et les buts, ignorant qu'un corps se déplaçait chaque jour de quelques millimètres dans le ventre du lac.

CHEZ MADAME KA

À la fonte des neiges, le village avait retrouvé le rythme du quotidien qui pèse et tue lentement. Les gens de Malabourg faisaient confiance aux enquêteurs pour fixer le sort du coureur des bois dont la discrétion, depuis janvier, les effrayait tout en les épatant, et à ce père défait qu'ils avaient choisi pour maire.

Quand il la croisait, elle se déplaçait dans son angle mort et le voyait déjà capoter avec son 4×4 entre Québec et Malabourg. Elle lui souhaitait un cancer du pancréas qui réglerait l'affaire.

Elle mangeait peu, des légumes bouillis, des céréales avec du lait écrémé, de la viande rouge de temps en temps. Elle buvait du thé et du bouillon. Elle avait beaucoup maigri et ça lui allait bien. Les seins n'avaient pas changé, les poumons ne pouvaient pas les aspirer davantage, mais la taille s'était définie, les épaules pointaient, les creux du visage bien découpé étaient plus affirmés. La nouvelle silhouette de Mina était féminine, très esthétique, et son visage anguleux avait pour point phare des pommettes hautes qu'on n'aurait jamais pu deviner avant l'hiver.

Elle était la seule fille du village à se promener dehors après la tombée. Comme les vampires, disaient les plus jeunes en tirant la langue lorsqu'ils la croisaient en rentrant de l'école. Son père enseignait l'histoire et sa mère avait suffisamment à la maison pour s'occuper. Mina s'intéressait moins à Alexis, elle s'intéressait moins à tout, elle se vidait de sa substance à mesure que l'année s'écoulait.

*

Entre deux verres d'alcool, le soir au bar Chez Madame Ka, il se dessinait sur les visages des hommes — et des femmes d'âge mûr qui allaient les rejoindre — des sourires francs. La patronne avait la voix d'une fumeuse et la diction d'une prostituée à la retraite. Devant la porte d'entrée dont la fenêtre avait été givrée avec une bombe pour protéger les enfants curieux de la réalité des grands, les clients fumaient des cigarettes et de l'herbe piquée, bon marché, arrivée par les chemins habituels du commerce illégal; on buvait de tout, y compris de l'alcool douteux frelaté maison. Les autorités toléraient cet établissement car la misère, se disaient-elles peut-être, reste dans son coin quand elle est soûlée gentiment. Ça faisait l'affaire de tous.

Vieille pute sympathique, Madame Ka faisait de bonnes affaires à Malabourg. Elle avait dirigé à Toronto dans les années 90 une entreprise d'esthétique louche qui était en réalité la façade élégante d'un bordel luxueux. Elle avait soupçonné une employée d'avoir falsifié sa signature sur des chèques à plusieurs reprises au cours de l'année 1998. Elle avait alors préparé une offre d'emploi si précise qu'aucun Canadien n'avait pu postuler. À l'époque elle s'appelait Katia — elle opta pour ce «Ka» sec et nébuleux d'héroïne kafkaïenne à son arrivée dans la baie des Chaleurs ; elle n'avait jamais lu Kafka, mais la première syllabe de son prénom lui plaisait et sonnait comme une renaissance. Katia avait ainsi embauché un ancien client devenu amant, ex-agent français de la DGSE. On ne sort pas l'espion du corps de l'homme : le type avait coincé la fraudeuse en moins de deux semaines. Après une faillite tout aussi douteuse que son entreprise, Katia avait quitté l'Ontario pour s'installer à plus de mille kilomètres de Toronto, près de la mer et loin de tout ça. Elle avait ouvert un bar à Malabourg au début des années 2000 et vivait bien, mais pas très loin des transactions obscures qui avaient fait d'elle une dame de la nuit dans la Ville Reine.

Les hommes de Malabourg la respectaient et se confiaient à elle peu importait leur état, qu'ils soient ivres, dépressifs, heureux comme des enfants à Noël ou fiers comme un paon. Elle piquait la curiosité des fils de ces pères qui fréquentaient son établissement, parlait anglais sans accent, intimidait les femmes; les filles l'appelaient «Mandarine» à cause de la teinte de ses cheveux, un orange clair et vif qui évoquait le fruit sucré.

Le soir et la nuit, qui était son jour, Madame Ka tirait sur son fume-cigarette comme dans les vieux films. Elle s'entêtait à peindre ses lèvres d'un rouge fuchsia, de petite fille, qui fuyait dans les ridules disposées en rayons autour de sa bouche. Son rire ressemblait à un hurlement de sorcière braillé qui faisait sursauter les gens délicats. Elle portait toujours le même modèle de robe noire décolletée en ballerine, bien coupée dans de la bengaline sans soie qui emprisonne entre la peau et la doublure cette sueur qui sent le rance jusqu'aux clients, puis des chaussures deux tons, beiges à bouts noirs imitation Chanel. On reconnaissait son pas grâce au clac caractéristique des plaquettes de métal fixées aux talons. Pour faire matrone, pensaient les clients. Mais c'est faux. C'est qu'elle a toujours voulu danser le flamenco.

Elle fumait, mais jamais d'herbe. Derrière le zinc, elle buvait du vin; dans la cuisine, sous la hotte, elle fumait à l'occasion des Marlboro; entre les tables, elle roulait les hanches comme une riche vulgaire qui aurait atteint le sommet des castes sans transition et par le seul pouvoir de son mari. Elle aimait les rôles de femme à jouer au bar. Mais elle était seule elle aussi. Bien qu'entourée, elle était très seule. Elle n'était pas mariée, mais on lui attribuait une foule d'amants dont on n'avait jamais vu les visages et qui la visiteraient la nuit après la fermeture du bar.

Le maire la laissait faire dans son bar avec l'herbe qui arrivait du Sud-Ouest et qu'elle vendait pour presque rien. Elle divertissait les hommes tandis que les commères priaient n'importe qui — elles ne savaient plus comment prier. Elles s'adressaient à n'importe quoi pour éloigner le mauvais œil et le sort pourri jeté sur elles, sur eux, sur le village. Après les joutes oratoires sans queue ni tête, les batailles de lutteurs sans technique et la camaraderie franche et virile, les maris imbibés, rentrant le soir de Chez Madame Ka avec l'haleine empesée et le sang chaud, se chargeaient sûrement de fouetter les esprits des femmes faussement pieuses qui faisaient poids dans leur lit et qui prêtaient à chacun, au village, un motif meurtrier, «Mon petit doigt me l'a dit». Dieu leur parlerait comme un petit doigt, la vérité se tiendrait en équilibre sur le fil de l'ongle.

SEGABUN

Madame Ka ne faisait pas crédit, les habitués le savaient. On payait rubis sur l'ongle ou on allait boire ailleurs, à la maison par exemple. Et c'est ce que faisaient à la fin du mois les chômeurs saisonniers et les gars qui vivotaient.

Un vendredi soir, le grand Barry O'Reilly, de Segabun, le village voisin qui n'a d'indien que le nom, arriva au bar vers 22 heures. Il salua les clients dont plusieurs étaient des amis, adressa un clin d'œil à la patronne, s'installa à la table n° 8 et commanda sa pinte de blonde fraîche.

Il parlait fort, provoquait les touristes, taquinait les piliers, insultait les plus faibles, massacrait le français et jurait en anglais chaque fois qu'il l'ouvrait. Il disait *Fuck*, mais ceux qui ne le connaissaient pas entendaient «fach», une sorte de juron tiré de l'enfer des poivrots et qu'O'Reilly prononçait comme un mot allemand. Il devisait dans un franglais qui n'existe que dans les établissements du coin. Il avait sa marotte de fin de soirée, le mot «beurre», que sa bouche pâteuse transformait en une onomatopée de la nuit bien à lui.

Lorsque Barry O'Reilly commença ce soir-là à égrener son chapelet de «beus» et à se vanter d'avoir baisé toutes les French Frogs du village — depuis son mariage, il n'a pourtant couché qu'avec sa femme, Maggie, qu'il appelle Mom —, Madame Ka décida qu'il était temps pour lui de rentrer. Elle ne lui servit plus que du Perrier pour le dessoûler. Elle lui annonça qu'aucun miracle du Nord n'avait transformé l'eau de la rivière en bière.

— Paie, Barry. Rentre chez toi. Maggie va s'inquiéter.

Il lâcha un «Praise the Lord» pas très convaincant qui en disait davantage sur son état d'ébriété que sur sa fidélité au Seigneur. Il chercha dans la poche arrière de son pantalon le vieux porte-monnaie en cuir de son père, sortit du soufflet qui couinait deux billets de dix dollars et des sous qu'il calcula comme une petite vieille, lentement et avec application; il se leva avec la même lenteur exaspérante, cala sa bouteille d'eau gazeuse en s'appuyant d'une main humide sur la table, éructa en saluant tout le monde et renversa au passage une chaise bancale. Il prit enfin la porte, puis la route dans son 4×4.

Segabun est à cinq minutes de voiture du bar, la route est facile, droite et sans surprise à cette heure-là. Le policier de service escorta discrètement Barry O'Reilly. Il ne lui colla aucune contravention, c'était un bon diable, le beau-frère de sa sœur.

O'Reilly arriva chez lui comme un bon voleur. Il laissa tomber ses jeans et sa chemise beige sur le plancher de la chambre à coucher. Ses vêtements puaient deux journées de travail. Il se mit au lit en vêtements de corps crasseux.

— You stink, Barry.

Il chercha alors à tâtons la tête de Maggie, la trouva, la caressa comme on flatte un chat.

— Love ya, Mom. 'Night.

La femme soupira, colla ses fesses contre le ventre rebondi de son mari et tous deux s'endormirent enlacés, rassurés. La routine et la tendresse brouillonne étaient le ciment de leur vieux couple.

EXTINCTA REVIVISCO
(Éteinte, je reprends vie)

La glace de « la Tombe » avait commencé à fondre. Les petits curés de village espiègles, ces enfants sans foi et hors la loi des grands qui avaient rebaptisé le lac aux Renards juste avant Noël, troquèrent leurs parkas contre des impers doublés. Le secret du lac protégé pendant la saison froide fut découvert comme une fleur d'hiver dont la terre n'a pas voulu. Et parce que le Grand Esprit est un farceur d'une logique impitoyable, la surprise tomba sur le jeune hockeyeur assommé par une rondelle de jeu le mois précédent.

Alexandre, donc, cherchait son gant de cuir. Il avait fouillé dans le cabanon, sous le banc qui avait été réinstallé au pied de l'arbre sur lequel ils pissaient tous depuis que le mercure permettait à la petite chose de sortir par la braguette du jean, et dans le sentier. C'est sur la patinoire qu'il le trouva enfin, échoué comme un animal mort près de la rive. Il s'accroupit pour ramasser le gant qui puait la charogne. Il y avait un grand trou peu profond, la glace mince qui le recouvrait était étrangement veinée. Alexandre plongea la main dans le trou, l'eau était glauque, brouillée par le fond vaseux et les algues, brûlante de froid. Il la retira aussitôt et s'enfuit en pleurant.

★

Les cadavres de Liliane et de Maria furent repêchés le 17 mars. On tira pour la deuxième fois en moins de six mois un cordon de sécurité autour du lac pour en interdire l'accès, et on dispersa la foule qui s'était amassée près du cabanon — le curé venait d'annoncer aux quelques fidèles à tête blanche qui l'écoutaient la découverte des corps. La nouvelle se répandit rapidement au village et dans les alentours. Barry O'Reilly but à la santé de la petite Liliane, dont sa femme, bien mauvaise échotière, lui avait dit qu'elle était rentrée à Malabourg saine et sauve.

Les parents des filles furent pris en charge par les autorités vers midi. Léon avait l'air de celui qui maîtrise tout : la situation et ses émotions. Il était maire du village, bon acteur et excellent menteur, fait de bois comme les filles sculptées par son fils.

Sam s'occupa de sa mère, le psychologue dépêché à Malabourg ne faisant qu'ânonner des phrases de réconfort. Il le renvoya au bout de trente minutes.

Sa mère parlait peu, pleurait lorsque personne ne la regardait. Son fils décida qu'une balade sur la grève leur ferait le plus grand bien. Elle s'y opposa mollement, répondant que «voir de l'eau» ne la tentait pas trop, mais Sam insista, «Prendre un grand bol d'air te fera du bien». Elle enfila donc ses bottes de caoutchouc et son imper.

Sam gara la vieille Toyota à quelques mètres du quai. Ils n'avaient pas échangé un mot depuis la maison. Ils marchèrent en silence du côté du musée et de la falaise ocre, puis ils s'assirent sur un tronc d'arbre, les pieds dans les restes de la dernière tempête de neige.

Des employés du musée les reconnurent et les saluèrent gravement, sans les regarder dans les yeux. Le malaise était plus lourd encore que le silence. Sam aurait préféré un regard franc et une phrase dure, l'amorce d'une vendetta contre la famille de l'assassin de sa sœur, mais il n'était pas au pays de la vendetta, il était au pays du français chantant, de la musique country, du bluegrass, du vent, de la mer et de ses fruits. Alors le silence était une réponse acceptable à sa souffrance. Pour sa mère, il ne savait pas; il était jeune, il ne décodait pas tout.

La marche sur la rive avait apaisé Françoise. Elle avait les yeux rougis, elle faisait silence en creusant quelque chose en elle. Elle savait qu'on retrouverait sa fille, tôt ou tard cela devait arriver, une main sûre allait dégager les choses, débrouiller le ciel et foutre le bordel dans sa tête. Mais l'identification à la morgue rendit la mort trop réelle, un défaut du présent, palpable. Rien n'avait préparé la mère à cette violence. La banalité du corps rigide de Liliane, détruit par le froid, nu et laid, mort pour le monde, et dont l'ultime transformation est la décomposition, la bouleversa comme jamais elle ne l'avait été auparavant. Elle vomit près du corps qu'elle avait porté, nourri, mouché, puni, bercé, jalousé. Il faudrait ajouter, à côté du nom complet de sa fille et de sa date de naissance, une date de décès, le point limite d'une vie.

À la maison, Sam préféra laisser sa mère tranquille. Il allait et venait librement depuis quelques années, il ne l'informait plus de ses sorties, mais ce dimanche-là n'était pas comme les autres, il lui annonça qu'il allait boire un verre au bar pour se changer les idées. Elle ne lui reprocha rien, pas plus ce désir de boire de l'alcool que cette expression de lâche, «se changer les idées». Il avait dix-neuf ans, après tout. Elle était entrée en elle et cherchait un centre, le point d'équilibre entre ce qu'elle avait été et ce qu'elle allait devenir avant de mourir à son tour.

Le spectacle de Pat MacKenzie commençait à 17h30. Le bar était plein, ça sentait la bière, les frites, la sueur, et ça parlait fort dans les deux langues. Les clients saluèrent Sam plus virilement, d'une tape dans le dos, de poings serrés contre le cœur, d'une chiquenaude amicale sur l'épaule. Barry O'Reilly l'étreignit très fort, «Poor Boy», et ça sonnait comme une chanson. Willy St-Pierre lui promit que le monstre serait coffré avant l'été. La patronne lui servit un whisky généreux qui lui redonna des couleurs, et lui offrit un repas léger. «Tu sens bon, Katia.» Elle exigeait le vouvoiement et préférait qu'on l'appelle madame ou Madame Ka, mais le fils du maire n'était pas d'humeur à se faire reprendre, il n'avait d'ailleurs pas trop l'air de savoir où se mettre, et ce soir-là on ne pouvait rien lui reprocher, alors elle sourit.

On tamisa les lumières et les premiers accords en mode mineur diluèrent ce qu'il restait aux clients de mélancolie hivernale. Pat MacKenzie chanta Johnny Cash, Neil Diamond, John Lennon, Willy Nelson et ses meilleures compositions; il avait pour basse continue le brouhaha bilingue des gars repus et grisés. Lorsqu'il attaqua «Highwayman», Sam s'effondra. Il ne pleurait pas comme un gars, il pleurait comme un enfant, sans détourner le visage ou le cacher derrière ses mains, et ça lui était égal qu'on détaille sa peine. Willy St-Pierre le consola d'une main forte sur l'épaule et avec un verre de blonde qu'il n'avait pas eu le temps de commander : la patronne avait l'œil, ces hommes étaient ses fils, ses amants, ses maris, ses frères. Pat MacKenzie le raccompagna à la fin de la soirée.

Sam se coucha tout habillé. Françoise ne dormait pas, son mari n'était pas rentré, la chambre des maîtres n'avait pas de maître, mais elle était trop engourdie pour lui en vouloir. Elle se leva au milieu de la nuit et descendit au sous-sol où dormait son fils. Elle voulait s'assurer qu'il respirait bien : il ronflait comme un homme. Elle s'allongea près de lui. Il puait l'alcool, mais le ronflement la tranquillisa. Elle l'enlaça et demanda à ce qu'il lui restait de Dieu dans le cœur de ne pas le lui enlever.

*

Le maire et Mina se fuyaient depuis des semaines. Il l'évitait, elle avait peur de lui et de ce qu'il pourrait faire, dire, de l'histoire qu'elle le croyait assez fou pour inventer. Le territoire immense de Malabourg et la faible densité de sa population avaient nui au développement d'un vrai centre. La place était dominée par l'église Sainte-Anne-de-Malabourg — les trois familles protestantes du village fréquentaient de temps en temps la St. Mary's United Church de Mont-Bleu. Dans un rayon de quelques kilomètres, les Malabourgeois trouvaient ce qu'il fallait pour organiser leur vie : une quincaillerie, une pharmacie, une marina, un restaurant chic qui ferait faillite avant la fin de l'année (il serait remplacé par un autre restaurant chic qui fermerait l'année suivante, etc.), deux cantines (Chez Manon, Paul's), un bar (Chez Madame Ka), une épicerie, un modeste institut de beauté, une boutique d'artisanat, une boutique ésotérique, une clinique, une école primaire et une école secondaire, une mercerie, une boutique de vêtements pour femmes. Pour le reste, il y avait Internet, Mont-Bleu et l'autre rive de la baie.

Mina avait banni le cœur du village de son parcours quotidien. Léon ne mettait jamais les pieds à Mowebaktabaak, où il était de toute façon jugé indésirable depuis qu'il avait volé en toute légalité, au profit de Malabourg, une partie du territoire amérindien traversé par une rivière à saumons prisée des touristes états-uniens qui prenaient possession des pourvoiries durant les vacances et qui postillonnaient en anglais, et avec un sans-gêne presque charmant, sur les comptoirs des cantines et au visage des belles filles qui leur disaient «Non». Cet hiver-là, Mina avait fait de Mowebaktabaak son refuge, elle s'y terrait le jour et rentrait à pied ou à vélo à la brunante.

Elle mangeait peu, dormait mal et peu, ne se maquillait pas ; elle avait des cernes bleutés sous les yeux, des boutons sur le menton, l'air malade et fou.

— La petite à Pierre nous évite.

— Non, dit Sam, elle est juste timide. C'est ma préférée.

Il parlait à sa mère d'une voix douce. Il la prenait dans ses bras, lui caressait les cheveux, s'enquérait de sa santé. Il avait changé depuis que sa mère avait peur de le perdre.

— Tu te contentes de pas grand-chose, répondit-elle.

Léon avait menacé Mina en janvier : «J'ai le tour, tu verras.» Il avait des amis au sommet de toutes les hiérarchies qui comptent au pays, ce serait sa parole de folle contre la sienne, maire apprécié, avocat de profession et ami des fils de toutes les putes politiques. Elle avait gardé le silence et traversé l'hiver dans la peur des autres, mais avec le dégel du printemps venait celui du cœur, et le cœur de Mina cognait fort depuis la découverte des corps. Il cognait fort lorsqu'elle allait faire les courses. Il cognait fort lorsqu'elle se promenait à Mowebakta-baak. Il cogna fort lorsqu'elle croisa Sam et Françoise sur la grève.

Et il y avait ce malaise qui la prenait au petit matin comme un mal de tête ou une nausée et qui l'empêchait de respirer profondément, la culpabilité qui accompagne fatalement le silence imposé. Un matin, lorsque la balance afficha quarante kilos à l'écran, lui indiquant par là que le corps se délitait, qu'un trou noir intime était en train d'aspirer l'être, Mina décida qu'il était temps d'aller trouver le maire.

LE PENDU

Elle avait une arme dans son sac et la caressait du pouce en argumentant avec la secrétaire, la petite cousine de son père, qui affirmait que l'emploi du temps de Monsieur le Maire était trop chargé et que les enquêteurs étaient attendus d'une minute à l'autre à la mairie (elle baissa les yeux en évoquant les enquêteurs). Mina insista. La secrétaire résista.

— Tu pourrais le voir mercredi. À 10 heures, ça te va?

— Non. Non non. Maintenant.

La dame céda.

— Cinq minutes. Pas une de plus. Je viendrai te chercher, dit-elle en désignant l'horloge du doigt.

Léon se tenait droit derrière son bureau. Il avait disposé sur la table acajou les symboles de sa réussite, soit un ordinateur portable dernier cri, un agenda président avec couverture en cuir pleine fleur ornée d'un monogramme, une plume Montblanc, un stylo Bic dont il avait mâchonné le capuchon, un bloc-notes filigrané, son BlackBerry, un téléphone fixe à cadran en bakélite (cadeau de sa femme, il aimait les années 40 et 50), une lampe imitation Tiffany. Il était debout comme un général, haut comme trois pommes. Mina s'assit devant lui. Il parlait fort mais ne l'intimidait pas.

Elle connaissait bien le mécanisme de l'arme, elle s'était exercée chez elle et pouvait l'actionner les yeux fermés ; elle mit l'appareil en marche.

— Ils vont finir par découvrir la vérité à ton sujet.

— Vous.

Elle plongea son regard dans le sien et éclata de rire.

— Ils vont finir par découvrir la vérité à votre sujet, Monsieur le Maire.

— Moque-toi si tu veux. Je peux te mettre à la porte, tu sais.

— Oui, je sais, tu peux faire bien des choses. Je t'ai vu les tuer.

Il avait rapetissé, il était tout petit et rouge, un gnome à la mairie du village. Il leva un doigt plus court que son nez de poupée de bois et le dirigea vers elle.

— Tu t'amuses, là...

— Qu'est-ce qui t'a empêché de me tuer près du lac ?

Il se grattait le coude et fixait le Montblanc platine. Il avait repris les centimètres perdus et sa place derrière le bureau acajou. Mina haussa le ton.

— Pourquoi les avoir tuées? Trois filles, Monsieur le Maire. Avais-tu un motif? Tralalalala, doudoudou, merle, mer-le.

— T'es folle.

Il chuchotait, mais il chuchotait si fort qu'il faillit perdre connaissance. Mina sortit l'arme de son sac et la déposa discrètement entre ses cuisses. Il s'assit.

— Tu pourrais pas comprendre.

— Si on était, disons, en août 2007, est-ce que tu referais la même chose? Tu les tuerais toutes les trois?

— T'es folle. Tu répètes la même chose.

— Tu regrettes? As-tu des remords mon merle, maire, merde?

Il l'aurait flinguée sur-le-champ. Tuer sa voix et les mots qui sortaient de sa bouche. Mettre fin à tout ça. Finir le puzzle.

— Qu'est-ce que tu veux? Tiens-toi tranquille, tout va bien aller, t'auras pas de problème, mais tu... Tu... Ferme... Tais-toi. Juste... Tais-toi.

Il replaçait son stylo, sa plume; il jouait avec un élastique et un trombone. Il avait mouillé le col empesé de sa chemise.

— Va en ville. Tu veux étudier, non? Je peux t'aider pour ça, tu le sais bien.

La secrétaire avait frappé discrètement. Le maire jeta un regard à Mina, s'éclaircit la voix et cria à sa secrétaire d'entrer. Elle lui rappela son rendez-vous. Mina remit l'arme dans sa poche et sortit du bureau sans saluer. Le maire avait l'air sonné, mais il reçut les policiers en maître fou. Mina attendit d'être dehors, loin de la mairie, pour interrompre l'enregistrement.

Elle traversa la route en courant et faillit se faire tuer par un camion qui transportait à toute vitesse des aliments réfrigérés. Elle lui adressa, sans se retourner, son plus fier doigt d'honneur. Elle arriva chez Alexis à bout de souffle, le tira du lit et lui demanda s'il pouvait transférer le fichier du dictaphone numérique sur son ordinateur portable. Tout cela était possible, oui : l'herboriste-fleuriste était, comme bien des introvertis rêveurs, geek à ses heures.

Alexis transféra les données en secouant la tête, stupéfait. Il jetait par moments un regard vers Mina. Il lui dit qu'elle pouvait compter sur lui. Il n'en revenait pas, il était trop abasourdi pour pleurer ou pour avoir envie d'étrangler le maire, il hochait la tête en jurant lentement, en détachant bien chaque syllabe, et à voix basse.

Avant de se mettre au lit elle envoya un courriel au maire Léon et le fichier MP3 contenant la totalité de leur courte rencontre de la matinée, avec copie conforme à sa femme, à la mère de Geneviève et au directeur du musée dont le frère était sergent-détective à la Sûreté du Québec.

★

Barry O'Reilly passa chez Alexis chercher les graines pour le jardinage dont sa femme avait besoin, puis il roula jusqu'à la mer en fredonnant. L'hiver avait eu raison de la fragile balustrade qui entourait le sommet du phare, le bois avait pourri à certains endroits et il fallait impérativement retaper la structure. O'Reilly était l'homme à tout faire, le factotum des environs. Il gara sa voiture, coupa le moteur mais laissa la radio jouer à tue-tête pour se donner du cœur au ventre.

La boîte à outils coincée sous le bras, il ouvrit la porte du phare d'un coup d'épaule. Il monta l'escalier quatre à quatre. Il trouva en haut sur le sol un manteau long en cachemire crème. Il sortit sur la galerie. Devant la mer, vers le sud, quelque chose pendait au bout d'une corde attachée à la balustrade. Barry O'Reilly se pencha en priant à voix haute, et dans sa langue. Il découvrit le corps d'un homme que le vent du matin balançait doucement. Il se jeta sur la corde et tira pour remonter le corps. Il faillit tout lâcher en voyant le visage. Il tâta le cou du maire, mais Léon était visiblement mort depuis la nuit. O'Reilly s'assit en tournant le dos à la mer.

Il hochait la tête, se massait les sourcils : «What a mess. Jesus!» Il mit le cap sur la mairie. Il avait les yeux exorbités lorsqu'il raconta à la secrétaire ce qu'il avait vu, trouvé et fait. Un rêve d'horreur en plein jour.

On enterra l'affaire avec le maire. «On ne tue pas un homme mort», dit la veuve. Ce à quoi les autres se gardèrent de répondre.

LA TOILE DE MALABOURG

Par une nuit humide de juin, le vagabond quitta Malabourg. Il avait mangé au centre communautaire un quignon de pain et du jambon blanc. Il avait bu un dé à coudre d'un tord-boyaux normalement réservés aux femmes et aux hommes forts du goulot et aux plaies qui suppurent. On l'avait vu dîner, mais c'était la routine, on s'en foutait, on ne remarquait même plus sa présence, il était le barbu de la toile, un membre de la tapisserie du village au même titre que l'école, la mairie, le bar, le lac.

Le lendemain, un chauffeur de camion demanda au pompiste de Segabun s'il connaissait le vieux bonhomme qu'il venait de croiser sur la route. La nouvelle fit le tour de Segabun et de Malabourg : le vagabond avait levé le camp.

La veille, le vagabond avait rendu visite à Madame Ka. On le nourrissait à la cantine Paul's une fois par jour, mais il recevait à l'occasion quelques pièces. Il n'avait pas de quoi s'offrir une nuit convenable, dans des draps propres et blancs, mais Madame Ka demandait peu.

Il avait pris un bain de mer. Il avait ensuite remis ses vêtements sales, y compris le caleçon croûté qui semblait avoir une vie bien à lui — c'était d'ailleurs le seul vêtement de corps qu'il possédât et il le nettoyait simplement à l'eau lorsqu'il sautait tout habillé dans la mer, le lac ou la piscine du centre communautaire.

Il était entré au bar en ersatz d'homme, propre sous ses vêtements. Il puait moins fort que d'habitude, mais il sentait. Il avait fait l'effort de lisser ses cheveux avec du beurre pour ressembler aux hommes qui l'impressionnaient quand il était petit. Il s'était accoudé au zinc, avait commandé un verre de rouge qu'il avait sifflé comme il faut après avoir porté un toast à la patronne, puis il s'était levé d'un bond, ne sachant plus trop comment on approche une femme, il avait fait le tour du comptoir et dit à Madame Ka, dans le creux de l'oreille, qu'il avait ce qu'il fallait pour la nuit.

Elle avait répondu que ça ne l'intéressait pas, «Je sais pas. J'ai beaucoup de travail ce soir, beaucoup de clients». Il avait précisé que ce qui l'intéressait c'était la nuit, pas le soir, et que ça lui importait peu que la nuit commence tard pour elle. Il était patient. Il avait l'habitude d'attendre, il avait fait de l'attente mystique son métier. Il attendait la mort ou une renaissance, un coup de chance ou le Messie, peut-être même une manne au pied d'un arc-en-ciel; il croyait comme un enfant à qui on a promis que la vie serait belle et bonne pour lui. Madame Ka lui avait indiqué du menton un endroit au fond de la salle et ordonné sèchement, mais à mi-voix, de l'attendre derrière la porte et de ne pas redescendre de la soirée.

L'escalier étroit donnait du fil à retordre aux ivrognes. Le vagabond s'était installé sur une des premières marches. Il avait écouté à la porte les cris, les jurons et la musique en sourdine. À minuit, las, il avait baissé son pantalon et pissé entre deux marches; ça sentait déjà le fond de ruelle. Il s'était levé brusquement à deux reprises, croyant à tort que Madame Ka avait fini et qu'elle fermait. Mais le brouhaha des conversations au bar durait tard. Il avait duré encore quatre heures. Alors, après avoir foutu les derniers hommes dehors, verrouillé la porte de l'établissement, éteint les lumières, fermé les stores et tiré les rideaux, elle monta. Elle contourna le vagabond qui somnolait; il se réveilla. Il la suivit comme un chien.

— Tu vas enlever tes vêtements et te laver.

Il répondit qu'il l'avait fait plus tôt.

— Tu sens mauvais.

Il passa sous la douche, se nettoya sommairement

le sexe et les aisselles. Des peaux mortes formèrent un dépôt gras sur l'émail blanc de la baignoire, un cerne douteux et glissant que le vagabond qui rede-viendrait homme le temps d'une nuit laissa en guise de cadeau à la femme de ménage.

Il avait l'air innocent tout nu, le sexe mou et les testicules trop lourds pour la peau distendue et vio-lacée des couilles. Sa pilosité était abondante et blanche, les poils rêches avaient emprisonné une odeur écœurante. Il manquait de tonus, et rien, dans sa physionomie, ne permettait de deviner qu'il avait déjà été presque beau. Pourtant, et ça, tout le monde l'ignorait au village, il avait été marié, pro-fesseur d'université, et son fils avait tout fait pour passer son souvenir au feutre noir. On l'avait aimé, il avait aimé; il avait oublié ceux qu'il avait déjà appelé «ma famille».

Mais il n'avait pas oublié les gestes de l'amour. C'est l'instinct, bien plus que le désir, qui guide les hommes comme lui entre les cuisses des femmes. Lorsqu'il y a entente entre deux corps féconds, l'es-poir d'un troisième est guidé par l'instinct. Madame Ka n'était plus fertile, elle avait épargné le monde de son éternité.

Décrassé, le vagabond ressemblait à un homme, un homme simplement vieux. Madame Ka se dés-habilla et lui ordonna de la prendre à son goût. Il la retourna et se concentra sur la marque rose laissée sur la peau blanche par l'élastique du collant trop serré. Elle était fatiguée, n'avait pas envie de le caresser, encore moins de l'embrasser, et elle ne voulait pas que les piliers du bar en train de roter leurs derniers verres dans la rue, devant la mer, entendent le vagabond jouir dans sa chambre. Il jouit en silence, le plaisir transforma son visage qui perdit instantanément une année de solitude.

Il se retira et enfila ses vêtements. À l'épicerie, plus tôt, il avait changé les pièces qu'il possédait en billets. Il déposa sur la table basse au pied du lit de Madame Ka la moitié de ses économies, remercia pour tout mais ne salua pas. Il alla boire au robinet, se passa la tête sous le jet d'eau, prit sa canne au pommeau sculpté, son havresac qui contenait un saucisson et une miche de pain, et il disparut comme il était apparu, une séquence dans le film du village ; un trou dans la toile de Malabourg.

MOWEBAKTABAAK

Les filles de bois décoraient la chambre de Sam, dans laquelle il y avait un lit, un secrétaire que lui avait légué son grand-père, une chaise recouverte d'un tweed élimé, une bibliothèque pour les statuettes et les trois livres qu'il possédait, puis une armoire à pointes de diamant qui semblait avoir poussé là comme un arbre. Il y avait dix-neuf poupées de bois. Sam cesserait de sculpter des filles lorsqu'il aurait atteint le nombre symbolique de vingt. C'est à vingt ans qu'il quitterait le village pour tenter sa chance ailleurs. Il prendrait peut-être l'avion et changerait de pays, il n'avait pas encore prévu la distance à parcourir mais il changerait de vie, tout était calculé en fonction de ce moment à la fois terrible et libérateur où il ferait table rase et deviendrait orphelin par choix. Il quitterait tout ce qui est natal et oublierait peut-être la langue de sa mère.

Sam avait approché Mina peu après le suicide de son père avec une délicatesse dont elle n'avait pas l'habitude, et qu'elle prit d'abord pour une mauvaise blague, comme les coups, les chiquenaudes et les fausses lettres d'amour dont les adolescents gratifient souvent les filles de leur âge. Sam avait passé l'âge des bêtises. Il lui souriait, prenait des nouvelles de sa famille, lui posait des questions sur les propriétés des plantes et des fleurs. «La menthe poivrée en tisane pour la digestion, mais c'est préférable de ne pas couper l'infusion avec du thé», disait-elle. Elle avait des réponses mangées, comme ses seins; elle marmonnait, mais Sam comprenait ce qu'elle disait. Il la voyait deux ou trois fois par semaine, la plupart du temps sur la grève juste avant le souper. Il était un des rares garçons du village, avec Alexis, à ne pas changer de trottoir lorsqu'il la croisait. Les autres crachaient à ses pieds, miaulaient pour se payer sa tête, laissaient courir la rumeur qu'elle l'avait perdue, sa tête; on ne l'aimait pas. Pour soulager son angoisse, la collectivité plongea dans la rumeur, dont le mécanisme n'a probablement pas beaucoup changé depuis l'invention de la roue. Le village entier se changea en parvis d'église. La rumeur se mit à gronder plus fort que le tonnerre en été, sauf que l'orage n'éclatait pas, le temps était gris, incertain, les contours des nuages mal définis, mais on avait brouillé le ciel.

Mina aurait voulu répondre, mais ouvrir la bouche et parler à ces imbéciles demandait trop d'énergie et elle en avait peu. Elle fit la sourde oreille, mais elle aurait aimé qu'il lui pousse un troisième bras. Grâce à ce bras, elle aurait insulté avec la vulgarité d'un monstre le village entier.

*

Mowebaktabaak est une réserve indienne de moins de 2 km² aux abords de Malabourg. Une poignée de familles se partagent l'équivalent de quelques terrains de football concédés par Sa Majesté. Les Malabourgeois s'y aventurent peu.

La grand-mère maternelle de Mina est née et vit toujours à Mowebaktabaak, dans la rue de l'église catholique qui a la forme d'un tipi au toit métallique, casse-tête spirituel, symbole micmac de cette réussite chrétienne douteuse des missionnaires catholiques en Amérique. Sa mère y a vécu jusqu'à son mariage. Petite, elle a lancé des pierres sur les bus de Blancs qui traversaient le village à la fin des cours. À la même époque, les États-Uniens sortaient de leur Westfalia pour prendre en photo cette petite fille à longues tresses noires se promenant pieds nus sur la grève ; ils lui donnaient des sous qu'elle n'avait pas demandés. Les bus scolaires ne traversent plus Mowebaktabaak, le trajet de la route qui fend Malabourg en deux et qui contourne la réserve a été redessiné.

Chaque dimanche après-midi Mina allait prendre le thé chez sa grand-mère. Ce thé n'avait rien d'anglais, c'était un thé merveilleux pris entre belles folles à cheveux noirs qui faisaient litière des calomnies.

Le visage de Cécile n'était pas très ridé mais les contours étaient fuyants, l'ovale avait perdu de sa netteté. Cécile avait pris l'habitude d'épingler sur son chemisier un macaron fabriqué à partir d'une de ses photos de jeunesse qui montrait un visage lisse et ferme. C'était une coquetterie de belle femme qui avait vieilli. Elle avait les seins très lourds et mal soutenus par un soutien-gorge bon marché dont la bretelle droite laissait voir une tache sombre et un centimètre d'élastique sale presque cuit : la version hippie du modèle classique Doreen de Triumph qu'elle portait depuis 1975 et qu'elle achetait par correspondance. Mina lui avait parlé des nouveaux modèles, plus confortables et en jolie dentelle à la mode, mais sa grand-mère était têtue, plutôt conservatrice dans le domaine du sous-vêtement et réaliste : «À mon âge, on peut séduire les miroirs et les mirages. C'est tout.»

On venait consulter Cécile, on lui faisait confiance, c'était une aînée, elle était de bon conseil, sage et fine. Elle connaissait les plantes médicinales et régionales comme sa famille. Elle était herboriste et un peu sorcière. Elle connaissait aussi les hommes et leurs faiblesses, elle en avait aimé plusieurs, de toutes les couleurs; elle avait tout fait assez librement. Elle parlait trois langues : un français de chez elle appris au pensionnat, un anglais qu'elle cassait à bon escient et la sienne, qu'ils sont peu à pratiquer.

Mina s'affala sur une chaise dans la cuisine. Elle planta ses coudes sur la table et remonta les épaules.

— Pour de bon. Pas juste pour les études.

Cécile jeta l'eau bouillante sur les feuilles de menthe poivrée, l'ortie et les feuilles de framboisier. La vapeur brûlante la fit éternuer. Mina posa sa main sur la théière. Sa grand-mère l'interrogea.

— Pour aller où?

Cécile lécha l'eau condensée sur sa paume et se mit à rire comme un bossu en voyant Mina faire la grimace. Son rire claquait, mais pas comme on frappe, il claquait comme on appelle l'autre en frappant des mains.

— Va-t'en. Vraiment. C'est un village de fous. Le nom le dit, le mal est dans le nom du village. Tu peux venir ici. La porte sera toujours ouverte pour toi.

Elle fit une pause, souleva le couvercle de la théière, touilla le mélange avec le manche d'une cuillère en bois.

— On dit beaucoup de choses. Tu sais comment les gens jasent. On dit que t'en sais plus que les policiers au sujet des filles.

Mina testa l'infusion. Encore une minute. Elle fronça les sourcils.

— On! On? Mais de qui tu parles au juste, grand-maman?

— Mais de tout le monde! Qu'est-ce qui se passe, qu'est-ce qui s'est passé?

Mina ferma les yeux.

— Je sais pas ce que t'as vu, mais t'as eu peur, mon cœur.

Mina buvait son thé en silence.

— Fais quelque chose. T'es en train de disparaître, tu me fais peur.

Cécile avait parfaitement prononcé ce «quelque chose», en séparant toutes les syllabes comme le lui avait enseigné sa petite-fille, qui la reprenait lorsqu'elle massacrait le français.

Elle lui parla d'un amant qu'elle avait eu à la fin des années 80, après la mort de Thomas, son mari. Un amant écrivain, grand voyageur et grand coucheur assez habile pour jongler avec les femmes, homme double qui avait une épouse compréhensive et plusieurs maîtresses. Il avait donné à Cécile le surnom de «préhistoire», car c'était à Mowebaktabaak qu'il avait rédigé son premier roman.

*

Subarctique en montagne, sur le sommet des Appalaches, mais tempéré sur la rive, le climat rappelle la rudesse originelle — de contes à faire peur — des Blancs qui occupent la péninsule. Des héros, des bons vivants et des défricheurs; des terroristes des collines qui prirent le bateau en Europe avec des barils, des plants, des animaux, des armes et un Dieu unique pour ce monde nouveau mais pas si jeune, déjà habité et organisé par d'autres qui croyaient pour leur part en une collection de dieux et à la nature. Le ciel est comme ces pionniers et leurs descendants : inconstant, doux et rigoureux, inquiétant, gris par temps sec, cobalt entre deux averses ou deux tempêtes.

L'ouragan de juillet, né dans les Caraïbes, balaya les côtes de la Caroline du Nord. Il se transforma en tempête tropicale à New York, puis devint tempête tout simplement, sans épithète, avant de s'engouffrer dans les États du Nord, après quoi il troubla le sud du Québec et frappa Malabourg en pleine marée haute. Retranché dans les terres, plus près de la rivière que de la mer, au pied de la montagne, Mowebaktabaak fut épargné.

Il pleuvait des cordes à Malabourg, en fou, le vent avait soufflé à plus de cent trente kilomètres à l'heure, déraciné des arbres qui avaient vu passer les processions religieuses aux premiers temps du village, dérangé la haute futaie et les rosiers des sables plantés pour stopper l'érosion des berges. Des branches massives étaient tombées de travers sur les pare-brise des voitures. Des enfants jouaient devant l'église par ce temps apocalyptique. Le vent avait peut-être réveillé les ombres du lac. Les petits s'accrochaient aux lampadaires en hurlant de joie, inconscients du danger naturel qui prenait la forme d'une tempête; leurs impers gonflés par des bourrasques les transformaient en petits bateaux à voile amarrés.

Sam avait pris un appartement en front de mer. Mina arriva chez lui dépeignée et trempée. Elle suspendit sa veste noire sur la patère et détacha la bride de sa chaussure. «Non, garde-les.» Elle le suivit à l'étage.

Dans la chambre, il lui mordilla la nuque et l'embrassa sur la bouche en lui caressant les seins pardessus le chemisier. Elle se retourna, la poitrine à moitié découverte. Il dit : «Tu sens le chat mouillé.» Il s'éloigna d'elle, se mit à l'aise. Quand il releva la tête, elle était nue, mais elle avait gardé ses chaussures et elle frissonnait. Il ferma la fenêtre, le sexe bandé dans le caleçon. La pluie avait mouillé les rideaux et gâché le plancher de bois franc. Il n'était pas amoureux de Mina, il ne pourrait jamais l'être, mais depuis le début de l'été ils partageaient cette folie à deux. Il la baisa sans façon. Ils attendirent ensuite en silence, sans se caresser, la tête tournée vers le sol abîmé par la pluie, que l'horloge du salon sonne minuit.

Un arbre déraciné était tombé derrière l'immeuble. Un chat plus brave que les autres, assez dominant pour délimiter son territoire en pleine apocalypse, s'était pourtant réfugié dans le trou, au creux des racines découvertes. Les lampadaires avaient résisté à la violence du ciel et s'allumaient encore lorsqu'une forme passait tout près. La rue principale et le trottoir étaient jonchés de débris. Mina enjamba l'érable et traversa Malabourg en souriant, le contour des lèvres et le menton irrités par la barbe drue de Sam. Elle fourra ses mains dans les poches de sa veste afin de protéger de la pluie l'odeur de Sam, amulette invisible pour la nuit qui venait et le petit matin.

Cécile lui préparait des pochettes d'herbes et de fleurs séchées, des charmes. Les mousselines contenaient de la menthe poivrée, de la grande camomille, des feuilles de framboisier, de l'avoine et de la verveine. Un bouton de rose sauvage, lorsqu'elle en avait à la maison. Mina versait l'eau bouillante sur une pincée de la formule jetée au fond d'une tasse. Cette tisane lui servait de calmant, c'était une berceuse chantée en silence, un extraordinaire placebo qui lui rappelait sa grand-mère, les éléments, la terre l'eau le vent le feu, et ce soir-là, parce que sa main avait conservé l'odeur de Sam et que cette odeur la soûlait à chaque gorgée de tisane, qu'elle avait un corps.

FRIGIDAIRE

On allait chercher chez Cécile des tisanes, des sachets d'herbes séchées, des remèdes pour le corps et l'âme, des amulettes et des porte-bonheur que Mina l'aidait à confectionner depuis qu'elle était en mesure d'identifier les plantes et de manipuler le mortier. Mais les douleurs de la vieillesse avaient récemment gagné presque toutes les articulations de son corps. Elle avait mal au dos, aux os, aux hanches. Elle avait mal partout, et il lui arrivait, lorsqu'il faisait humide, de prendre trois cachets au lieu de deux. Bien qu'elle eût une main vigilante pour ses proches, Cécile négligeait sa santé et préférait subir la vieillesse. Au bal des hommes, elle avait acquis le don d'invisibilité, un mauvais sort jeté par la vie à ceux qui ne sont pas morts jeunes. Elle dormait seule.

La routine du matin s'était transformée depuis l'hiver précédent en catastrophe pour la charpente. Cécile fabriquait moins de miracles aux plantes et aux herbes, elle prodiguait moins de conseils; elle tirait le diable par la queue. Elle ne se plaignait pas. La grand-mère cassée qu'elle était devenue avait gardé sa tête de cochon, un trait de caractère trop souvent assimilé aux défauts, comme si avoir raison, dire «Non» aux voyous et tutoyer ceux qui se prennent pour des maîtres étaient des signes de faiblesse. Elle ne parlait pas de ce corps rompu, des malaises, de la faim, de l'échec de la sensualité. Elle en voulait à ce qui ordonnait le monde du bout de sa baguette, de son nez ou du doigt. Elle engueulait les murs, la radio, la télévision et le fantôme de son mari.

Le matin, elle brisait le jeûne en croquant quelques noix. Elle préparait dans la matinée un chaudron de bouillon de poulet en cube délayé et y jetait des carottes, du céleri, des patates, des pâtes alphabet, des flocons de poulet et des épices (anis étoilé, poivre, coriandre, basilic, trois clous de girofle) : la *marmite*. Elle s'offrait un cube de fromage, s'il lui restait un bloc de cheddar marbré de la dernière épicerie, et ajoutait à son thé une goutte de sirop d'érable. Cécile n'était pas au régime. Le 23 du mois, elle n'avait plus un sou à la banque, rien dans les poches, rien dans la boîte en fer-blanc qui ne quittait jamais sa cachette dans l'armoire au-dessus du grille-pain. Il y avait peut-être trois sous au fond du petit cochon improvisé, mais la danse des sous noirs rappelait, plus violemment encore que le silence, cette simplicité implacable dans laquelle elle vivait. Les rhumatismes et la fatigue que la faim impose au corps et à l'esprit la gardaient à la maison. Elle s'était retirée du monde par la force des choses, mais quand sa petite-fille venait la voir elle s'efforçait de sourire.

La théière, les tasses et le matériel de travail étaient habituellement disposés sur la table de la cuisine à l'arrivée de Mina. Mais pas ce jour-là.

Il allait pleuvoir, le ciel était bas et l'air chargé. Tout était hors de portée de Cécile, dont les doigts, les orteils et la hanche droite avaient annoncé le temps qu'il ferait. Depuis deux semaines, chaque jour était pour elle un dimanche de repos.

C'est en se servant à boire que Mina découvrit le ventre creux du frigidaire. Trois produits alimentaires, comme trois sous noirs dans la boîte en fer-blanc, rendaient le vide plus choquant, plus vide encore que s'il n'y avait rien eu à l'intérieur.

— Le frigo est brisé?

Cécile vint la rejoindre dans la cuisine en traînant les pieds et en s'appuyant sur le mur, les chaises, les fauteuils et les meubles, sur tout ce qu'elle trouvait sur son passage. Elle ébaucha un sourire.

— Mon frigo est en meilleure forme que moi.

— Non mais tu manges quoi, grand-maman? Du

beurre, un oignon, de la moutarde. Rien d'autre ?
Redresse-toi, aussi, t'es pliée en deux.

Cécile lui désigna du menton le chaudron de
soupe sur la cuisinière.

— Je mange ça.

Elle se redressa. Mina referma la porte du réfrigérateur et alla cracher dans l'évier.

— Ça pue la viande pourrie.

— Pas la viande pourrie. Les fruits pourris. Un
fruit pourri. Un vieux melon d'eau que j'ai laissé
dans le tiroir du bas. Ça pue, je sais.

Adossée au mur, Cécile riait franchement. Sa
petite-fille lui décocha un regard de maîtresse
d'école.

— C'est dégueulasse. Jette ça.

— Non, j'y touche pas, c'est tout ce qui me reste
de la dernière épicerie. Avec la marmite. T'es
comme ta mère, toi, un petit boss.

Mina prépara le thé vert, qu'elle agrémenta de
fleurs et de baies séchées. Elle déversa tout un flot
de nouvelles de village, après quoi elle glissa un
billet de vingt dollars dans la main de sa grand-mère
et ramassa ses affaires. La vieille dame protesta,
mais elle accepta l'argent après avoir fait promettre
à Mina que ça resterait entre elles. Pour acheter la
paix, Mina promit en l'embrassant sur le seuil de
bois décapé, puis enfourcha sa bicyclette en mar-
monnant des jurons.

La mer commençait à se déchaîner au sud, le vent avait couché les herbes hautes et balayait la chaussée, qu'une mince pellicule de sable, qui avait crotté les voitures, les roues de camion géantes, les piétons aventureux et les cyclistes, décorait comme une croûte. Le beurre, l'oignon, le pot de moutarde et le fruit avarié s'étaient changés en images-monstres. La peur de la pauvreté, qui isole quasiment autant que la mort, lui avait été léguée à la naissance comme son nom. Elle s'arrêta dans le fossé pour pleurer un coup; les camions de livraison et les voitures tout-terrain passaient à moins d'un mètre d'elle et annonçaient, dans une langue de vent fort, de silences et de gouttes d'eau, la tempête.

«Ta mère crève de faim, tu sais!», lança Mina à la sienne, en arrivant à Malabourg. Jeanne l'ignorait, elle ne s'en doutait même pas. Elle répondit froidement, comme toujours lorsqu'on abordait le sujet délicat de sa mère, que c'était «son problème». Elle se défendit de l'avoir négligée : «C'est une tête de mule.» Elle accepta néanmoins de «faire quelque chose». Au fond, elle adorait sa mère, et la tête de cochon qu'elle enfilait comme un déguisement chaque matin pour tenir à distance les méchants était quand même admirable. C'est Mowebakta-baak que la mère de Mina cherchait à oublier.

Cécile les enverrait au diable dans les trois langues et cracherait dans la première main tendue. La vieille jurait comme un chef. Les messes comiques qu'elle présidait quand on l'avait bien cherchée ressemblaient à des sorts jetés. Ses colères étaient épiques, éblouissantes, presque aussi vulgaires que les paroles gangsta rap des chansons que les adolescents du village voisin, dont les parents préféraient les complaintes tristes des cow-boys de la musique country, écoutaient sur la grève à tue-tête, jusqu'à la distorsion, vitres de voiture ouvertes et bouteille de bière ou boisson énergisante à la main.

LES ÉTATS

L'été, des têtes de nénuphar en fleur pointent à la surface de l'eau, des têtards glissent entre les tiges et, manucures des précieuses, entre les orteils des femmes assises sur l'un des quais. Plus loin, dans le ventre mou du lac, là où pour toucher le sol vaseux il faudrait être géant, des carpes règnent sur leur ordre. Avant de se coucher derrière la montagne, le soleil laisse un reflet rose sur l'eau. Après la pluie, au crépuscule, la brume se lève sur la rive d'en face et les parfums du lac, végétaux et aquatiques, annoncent la nuit. Ce lac a avalé trois corps et les a recrachés, c'est un semblant de paradis sauvage, mais c'est aussi la Tombe.

Mina resta dans la péninsule, dans les environs du lac. Selon ses calculs, et croyant naïvement à la générosité et aux capacités financières des parents, l'État, qui lui garantissait un prêt bancaire et une petite bourse pour ses études, prévoyait qu'elle serait surtout rentière de sa famille. C'était oublier que cette génération de parents, jeunes baby-boomers influencés par les ouvrages de développement personnel, n'avait pas l'intention de sacrifier son confort pour l'éducation supérieure de ses enfants. Étudier, lire, c'étaient des activités qui n'appartenaient pas à l'ordre du travail mais à celui des privilèges. Le travail devait faire suer et donner faim. Mina annula son inscription à l'Université de Montréal. Elle n'irait pas loin avec un canapé, une structure de lit et une cuisinière dont le déménagement à Montréal valait plus cher que l'appareil lui-même.

Elle se fit embaucher à la pharmacie de Malabourg, où un rayon, coincé entre la rangée des produits surgelés (crème glacée, pizzas, purées bio pour bébé) et celle des produits saisonniers (crèmes solaires et huile anti-moustiques), tenait lieu de librairie. On y trouvait un peu de tout, des biographies traduites par des pieds, des sagas historiques vaguement ésotériques, quelques romans français et québécois, les meilleurs vendeurs états-uniens et une modeste section consacrée aux poètes et romanciers locaux généralement publiés à compte d'auteur.

Elle époussetait les livres et les feuilletait quand son supérieur avait le dos tourné. Elle humait la tranche pour le plaisir de sentir autre chose que les pires parfums fabriqués par Coty dernière manière, endossés par des stars, dont les adolescentes du coin venaient s'asperger avant un rendez-vous. Elle aurait voulu les punir en les cognant avec le *hardcover* du mois. Elle relevait dans les livres les fautes d'orthographe et de syntaxe, mais souriait lorsqu'elle tombait sur un archaïsme ou un régionalisme. «Raguerner», «hardes» et «itou» fleurissaient dans les meilleurs poèmes.

Elle remettait vingt pour cent de son salaire à sa grand-mère. La vieille l'insultait en prenant le chèque, la traitait de «maudite» en souriant, mais elle avait appris à recevoir des autres, Mina le lui avait enseigné. Avant Noël, des sacs de fruits et légumes et de la viande remplacèrent les chèques. Cécile les acceptait en jurant comme un charretier. Elle avait pris du poids, des joues, repris des couleurs; le corps accueillait cette nourriture que l'esprit, plus farouche, tenait pour de la charité. Cécile sacrait, faisait la gueule, mais en réalité elle se portait bien, mieux en tout cas, elle marchait presque droit, avait recommencé à cultiver des herbes (Alexis lui trouvait celles qu'il lui manquait), préparait les produits pour la vente. Mina économisait une partie de son salaire en prévision de son déménagement en ville en janvier. Avec l'argent qu'il lui restait elle achetait des pierres et du matériel pour la confection des bijoux. Alexis lui rapportait de ses tournées et de ses voyages en ville des gemmes taillées, à bon marché mais suffisamment éclatantes pour le commerce. L'améthyste et la chrysoprase vert pomme taillées en damier et montées en pendentifs sur du vermeil s'étaient bien vendues en décembre à la boutique du village.

Les touristes affrontaient rarement l'hiver de la région piloté par un ciel capricieux. Les enfants de la baie changés en Montréalais à l'aube de la vingtaine, qui avaient attrapé dans leur exil le phrasé ordinaire de la ville, moins mélodieux que celui de leurs parents, rendaient visite à la famille pour les fêtes de Noël et du Nouvel An. Ils se précipitaient alors la veille du réveillon dans la boutique d'artisanat de Malabourg et faisaient le plein de cadeaux qui rempliraient le bas de Noël des mères, des sœurs et des tantes. Cécile fut gâtée comme jamais. Mina, quant à elle, transforma en deux saisons sa condition, les silhouettes de Montréal et de l'université commencèrent à se dessiner à l'horizon.

*

Les feuilles de sauge blanche séchées, roulées puis réunies par un fil de coton pour former un fagot de deux ou trois centimètres de diamètre que Cécile allumait comme un gros cigare qui ne se fume pas, puissant encens américain destiné à la purification du corps, de l'esprit, des objets, des lieux, à défaut de purger le monde de ses miasmes, et à la communication silencieuse avec le divin, la sauge, donc, exhalait un parfum de marijuana et de transpiration forte.

L'encens, de la myrrhe d'église au Nag Champa indien additionné d'huile essentielle de patchouli ou de sueur de yogi, empêchait Mina de respirer à pleins poumons. Elle toussait et jurait selon ses moyens. Son vocabulaire vulgaire était plus limité que celui de sa grand-mère, ses «merde» et ses «*fuck*» secs et bien sentis faisaient quand même leur effet. Cécile n'était pas commode, mais c'était tout de même une grand-mère, alors elle noyait le fagot de sauge dans un verre d'eau et ouvrait grand les fenêtres de la maison, qu'il neige, pleuve ou vente à décorner les bœufs. Tout rentrait rapidement dans l'ordre.

Cécile lui préparait son dessert préféré. C'était une crème au sirop d'érable qu'elle avait baptisée la «soupe», une recette simple de son invention (il n'est pas impossible que toutes les grands-mères québécoises aient inventé cette recette, chacune dans sa cuisine, en ignorant tout de la soupe à l'érable de sa voisine) : des boulettes de mie de pain nageant dans le sirop d'érable ambré réchauffé à la casserole.

*

Alexis offrit à chacune, pour Noël, un parfum de rose en concrète logé dans un médaillon ancien qu'il avait chiné sur Internet. «Ça pue la mémé», avait décrété Cécile. L'odeur plut à Mina, qui lui commanda une huile parfumée pour lui retaper le moral en ville. Il lui composa un floral simple autour de la note de rose qu'elle aimait tant, avec des essences, des absolus et de l'huile de jojoba. Un parfum rond, sucré, un sérum rapidement absorbé par la peau, donc sans tenue, mais qui lui faisait du bien et lui redonnait de la vigueur.

Mina n'était pas suicidaire mais mélancolique. La possibilité de mourir par suicide la rassurait. Ce fantasme narcissique, l'essence de rose et les décoctions préparées par sa grand-mère parvenaient à la calmer, lorsque vivre ressemblait à une corvée.

LA PERSPECTIVE AMÉRICAINE

«Elles sont bleues, aujourd'hui. Je leur ai fait boire de l'encre», dit Alexis, en lui montrant une rose bleu saphir.

Le temps était très doux pour la saison, peut-être même trop : la neige avait fondu après Noël et il n'avait pas neigé depuis une semaine. Le ciel n'était pas bleu polaire, ni du blanc qui annonce les tempêtes, il était gris novembre. Mina jeta un œil à la fleur bleue : une rose Disney.

Elle couchait avec Sam mais préférait Alexis, qui était fiable, du bon côté des choses et un peu sorcier comme Cécile, grand fou des plantes et des odeurs. Le lendemain, elle quitterait Malabourg avec une valise rigide et un sac à main en cuir. Pas de meubles dans la valise, bien sûr, mais de l'argent et des cartes, des vêtements, un parfum préparé par lui, quelques livres, ses outils et des gemmes, son emploi du temps à l'université, une adresse et un numéro de téléphone à Montréal griffonnés sur la première page de son carnet de notes, des odeurs et des idées.

Elle l'aimait bien mais ne l'embrassa que sur les joues. Il la serra dans ses bras et lui fit promettre de donner des nouvelles de temps en temps, de revenir dans la péninsule pour l'été, de prendre garde aux fous. Il lui pressa l'épaule. Elle lui demanda s'il pouvait lui créer un parfum autour d'une rose dont elle aimait le nom, un hybride de la rose de Damas et de la rose de Chine...

— Impossible. L'absolu de rose Jacques-Cartier n'existe pas !

Elle rigolait. Il ajouta que l'huile essentielle de J-C n'existait pas non plus. Que ce cultivar de rose ne donnait aucun parfum. Que dans le monde de l'horticulture il y avait tout un pays de cultivars de roses muettes portant des noms de gens riches et célèbres, de navigateurs, de courtisanes ; des têtes de fleur sur des corps pour la plupart décédés. Le trait d'union, pont entre le prénom et le nom de famille, transformait la personne en chose, en fleur ou en personnage.

— Distille-la, achète un alambic.

Elle l'embrassa à nouveau, en lui effleurant les lèvres cette fois-ci, et tourna les talons.

Elle aurait passé la soirée avec Sam, peut-être même la nuit, mais c'est Françoise qui ouvrit la porte quand elle sonna chez lui. La mère de Sam ne lui avait pas adressé la parole depuis le suicide de son mari. Mina ne s'attendait pas à la trouver là, elle cacha sa déception, se composa un visage rapidement. Elle bafouilla un truc inaudible en lui tendant la main. Françoise la saisit par les épaules et la serra contre elle. Sam se tenait derrière et la salua froidement. Il lui tendit la main, ne l'embrassa pas; sa famille était morte, il détestait les adieux. Et il avait pris goût au petit corps de Mina et à sa drôle de tête. Il lui souhaiterait bon voyage, bon courage, bon travail, et elle lui manquerait.

Dans une superbe logique dont elle avait le secret, Françoise offrit à Mina le journal que Geneviève tenait avant de mourir. Mina accepta le curieux présent, mais le fourra sans attendre, sans prendre la peine de le feuilleter, dans son sac à main comme si c'était une bombe à retardement ou une fiole contenant le virus mortel de ces deux familles. Mais si le virus de la violence s'était transmis de père en fils comme un gène pourri, elle boufferait déjà les pissenlits par la racine.

Elle attendait que Françoise sorte, mais Françoise ne partait pas, elle restait là, plantée devant elle avec son sourire forcé qui était le masque qu'elle portait depuis le printemps passé, alors Mina regarda franchement ce couple mère-fils, dont elle ne saisissait pas toute la complexité, qui parlait une langue du cœur familière mais avec un accent du bout du monde. Elle rentra chez ses parents de très mauvaise humeur.

Sa famille l'attendait, Cécile était de la fête. La table avait été mise; l'animal mort flanqué de quelques légumes racines cuisait tranquillement dans le four. La bibliothèque du salon devant laquelle ils se tenaient tous les trois contenait peu de livres, c'était un meuble qui servait essentiellement à la présentation de ramasse-poussière et d'une collection de cloches de porcelaine, de faïence et de verre coloré. On trouvait sur les étagères inférieures des classiques de la littérature mondiale, un dictionnaire médical, des ouvrages d'histoire, des livres de croissance personnelle, des albums de Tintin, une édition du dictionnaire Larousse publiée en 1983 et *Le Bon Usage* de Grevisse à la tranche cassée. Mina avait offert à l'école de Malabourg les romans qui ne feraient pas le voyage avec elle jusqu'à Montréal.

— Vous me faites rire. Rompez, on dirait des soldats.
Le trio familial se détendit, puis Cécile s'avança. Il y avait une petite boîte noire dans la paume de sa main.
— C'est pour toi. C'est de nous trois.
Une gemme sang de pigeon d'environ un carat

reposait sur un coussinet de velours blanc, comme la reine des pierres fines qu'elle était.

— Un rubis de Birmanie, précisa son père. J'ai trouvé un fournisseur qui est dans le commerce équitable. Le prix aussi, je t'assure, était équitable. Ça coûte cher, ces petites bêtes-là.

Mina replaça la souveraine dans l'écrin. Elle était contente mais embarrassée. Le déménagement de sa bibliothèque de romans à Montréal valait bien un rubis, non? Elle consola sa mère, touchante dans le silence triste qu'elle portait comme un manteau ce soir-là. Autour d'un rôti de bœuf mémorable, père, mère et grand-mère firent leurs adieux à la seule enfant de la famille.

★

Au petit matin, Mina quitta Malabourg, la mer qui l'avait préparée au monde et le cauchemar qui avait commencé pour elle l'hiver précédent. Elle avait mal dormi. Elle s'était réveillée tôt. Elle avait marché sur la berge, la glace avait commencé à se former. Il faisait froid, l'hiver avait repris ses droits et son pouvoir sur les gens.

Son père la déposa devant le restaurant qui tenait également lieu de gare. Elle remit sa grosse valise au chauffeur, monta à bord, choisit une place côté fenêtre et mit le reste de ses affaires sur le siège de gauche. Elle retira ses bottes d'hiver, releva l'accoudoir, s'assit en tailleur et ferma les yeux pendant que les passagers prenaient place. On la laissa tranquille.

Elle s'endormit au moment où l'autocar entrait dans la Vallée. Quand elle se réveilla à Rimouski vers midi, le spectacle du fleuve Saint-Laurent, qui ne ressemblerait pas à un désert de glace avant la mi-janvier à cause des températures élevées de décembre, avait imposé le calme dans le véhicule.

Elle descendit de l'autocar, traversa à pied une partie de la ville basse et se dirigea vers le fleuve, dont la puissance du courant et du mythe — cette histoire charriée par le fleuve dans sa langue de bruits et d'odeurs — avalait tous ceux qui l'affrontaient. Le vent du fleuve venait battre la ville et les visages, les oreilles nues gelaient en moins de cinq minutes.

Mina longea la route, passa devant les hôtels en front de fleuve. À sa droite et au-dessus d'elle, tout était presque blanc, mais le blanc du ciel et de la neige était moins pur et inquiétant que celui des murs d'un hôpital ou d'un appartement fraîchement rénové. Le temps était au blanc sale de la neige et du ciel. Elle respira un grand coup, le froid saisissait le corps, il faisait tousser et pleurer. Les larmes sont salées, mais elles gelaient sur les joues.

L'autocar reprit le chemin de Montréal à 13 h 45.

Il y avait de nouvelles têtes dans le véhicule. Mina essaya de lire, mais le type qui avait pris place derrière elle, un amateur de guitares *métal* et de voix gutturales, avait réglé le volume de son iPod au maximum. Il était en retard d'au moins une génération musicale, mais il serait sourd avant ses parents. Il aimait le bruit, il écoutait du bruit, il imposait ce bruit à ses voisins.

Elle appuya sa tête contre la fenêtre et regarda défiler le paysage jusqu'à Rivière-du-Loup, où elle s'endormit de nouveau, le sac à main en guise d'oreiller pour couper le froid. Il faisait presque nuit lorsqu'ils traversèrent le pont Pierre-Laporte et gagnèrent Québec. Mina but une soupe à la gare avant de remonter à bord.

Un étudiant qui se rendait comme elle à Montréal s'installa à sa gauche dans l'autocar. Elle détourna le regard. Un enfant sans mère pleurnichait à l'avant. Mina passa les trois heures suivantes dans un silence parfait.

À ceux qui disent que Montréal est une ville sale et laide, on pourrait rétorquer, en gonflant le torse de fierté, que sa ligne d'horizon dominée par les gratte-ciel est franche, moderne, propre à l'américaine. La tour du stade olympique signe le ciel de Montréal. Il y a les vestiges d'Expo 67, les manèges de la Ronde qui font vomir les enfants sous le pont Jacques-Cartier, le fleuve installé dans son sillon là aussi, puis les gratte-ciel et cette ligne d'horizon urbaine qui rattachent visuellement le Québec au continent et à sa modernité. Mina avait déjà visité la métropole avec ses parents. Elle en gardait un souvenir de petite fille émerveillée. Elle avait choisi Montréal pour cette perspective américaine, celle d'un Nouveau Monde, pour le meilleur et pour le pire.

TROISIÈME PARTIE

MALABOURG
2011-2012

VIEUX CONTINENT

À 7 heures, il passe sous la douche et se nettoie le corps, le visage et les cheveux avec un savon sans parfum. Il utilise pour se brosser les dents une pâte dentifrice non parfumée à base de bicarbonate de soude. Il ne se parfume pas, s'habille et descend au rez-de-chaussée de la maison à trois étages qu'il a achetée à son retour de France. Il vérifie d'abord les commandes et les livraisons de fleurs et d'herbes avec Mathilde, puis il retrouve son petit laboratoire d'alchimiste, un capharnaüm d'objets et d'odeurs, de souvenirs et de récits, qu'il ferme à clef tous les soirs comme s'il s'agissait d'une chambre forte. Le labo est situé tout au fond du couloir, il communique par une porte étroite avec le bureau où Alexis a installé son MacBook et un téléphone fixe.

Entre 8 et 9 heures, il s'exerce devant un petit étalage qui porte le nom d'orgue à parfums. C'est Huysmans qui a imaginé, dans *À rebours*, cette représentation pratique de la palette d'odeurs que les parfumeurs du XXe siècle ont trouvée poétique et excellente. Ils ont donné forme à l'idée : une étagère en bois d'acajou, un hémicycle dans lequel sont classés, chez Alexis en tout cas, des dizaines de fioles d'essences, d'absolus, d'extraits de CO_2, d'hydrolats, de résines, de baumes. Sur son bureau, près du réfrigérateur où sont conservées les essences les plus précieuses, sensibles à la lumière, se dégradant rapidement au contact de l'air, il y a des porte-touches et des touches disposées en éventail, des pipettes de verre, des compte-gouttes, une balance électronique pour peser les formules, un carnet florentin dans lequel il rédige à la main ses formules et des débuts de formules, puis un second carnet, à la couverture rouge, son encyclopédie d'odeurs personnelle dans laquelle il répertorie les matières qu'il découvre ou redécouvre, et ses impressions et les images qu'il s'est forgées pour développer sa mémoire : un mécanisme à dérouiller chaque matin.

Il a assisté pendant deux ans le parfumeur français Maurice Carre. À son retour de Provence, dans l'Amérique du propre, du désinfecté et, par contraste bipolaire, de la praline charnelle et écœurante, très *Dynasty*, qui sabote les fragrances de stars, Alexis a choisi Montréal pour ouvrir une boutique de fleuriste. Ses clients sont restaurateurs, hommes amoureux ou volages, femmes à fleurs, décorateurs d'hôtels luxueux.

Il a installé son commerce dans une maison solide à l'est du parc Lafontaine, achetée à distance avec l'héritage de son père alors qu'il avait encore le nez et le cœur dans les fleurs et les odeurs de Grasse. La boutique occupe la pièce immense du devant, au rez-de-chaussée. Il a aménagé la cuisine et son bureau derrière le bric-à-brac des stocks et des boîtes. Son antre est séparé de la boutique par une cloison en plâtre qui ne filtre pas grand-chose, il n'y a pas d'intimité. Les toilettes et le laboratoire sont derrière tout ça, au bout du couloir, à proximité de la cour intérieure, des cris d'enfants et des feulements. Alexis vit au premier étage et loue celui du dessus à deux étudiants, un couple de joggeurs sur place.

Il fréquente Mathilde mais il n'est pas amoureux. Il déteste le parfum à base d'encens qu'elle porte, il pense d'ailleurs que cette odeur d'église et de funérailles l'empêche de l'aimer, le mur entre eux est fait d'odeurs. Le corps de Mathilde lui plaît, mais son odeur n'a pas pour lui la qualité du parfum. Elle tient boutique, reçoit les clients et prépare les fleurs ; il s'occupe de la tenue des livres de comptes et de la sélection des matières premières. Il passe ses matinées au labo. Après la pause de midi, il se parfume et enfile son sarrau de fleuriste.

★

Il se penche pour sentir d'un coup trois touches trempées la veille dans les flacons d'essence. Il relève la tête et ferme les yeux. Il n'est plus à Montréal, il est près de Grasse, en 2010, dans le laboratoire de Maurice Carre, une pièce bien nette dont la fenêtre, immense mur vitré, donne sur un jardin ordonné aux exhalaisons qui le sont moins et, au loin, sur un champ fou. Le maître a classé par ordre alphabétique et disposé par familles les deux cents fioles d'essences qu'il consulte dans une petite bibliothèque de verre fixée au mur. Alexis prépare à sa demande une dilution en suivant la formule. Il a appris auprès du maître à identifier les odeurs de fleurs, de plantes, de bois, de résines, de fruits, de baumes, de ce qui n'a pas d'objet précis mais qui évoque quelque chose, un couteau en argent mouillé avec de la salive par exemple, qu'une matière de synthèse, créée par une équipe de chimistes, rappelle au nez. Carre lui a enseigné l'art de la prédiction, mais pas celle des événements, le parfumeur n'est pas une pythie ni un mage. Il lui a appris à anticiper le comportement des essences, le temps d'évaporation de chacune, le résultat des combinaisons et les interactions possibles. Il lui a fait décomposer les canons de la parfumerie moderne et lui a demandé de les recomposer au nez, sans ordinateur, puis de créer des soliflores sans l'essence de la fleur, une rose sans essence de rose.

Alexis est sûrement devenu sorcier et chirurgien : à ces odeurs, il a imaginé un ventre à disséquer. Il rêve d'écrire le récit olfactif du bouquet de fleurs nobles et vicieuses qu'il a en tête, mais pour le moment il apprend, les sens en éveil, à transformer une métaphore en sillage.

Il ouvre la fenêtre, une odeur de goudron et de poubelle qui a eu chaud le prend à la gorge, il éternue. Montréal est un chantier jusqu'à la première neige. Il note dans son carnet ce qui lui passe par la tête, des couples à former, des associations à tester. La plupart du temps il tourne en rond. Il regarde le plafond et la toile d'araignée qui pend en stalactite souple depuis des semaines, il faudrait la détruire avant l'hiver. Il débouche un flacon de rose turque, y trempe une mouillette qu'il ajoute à l'éventail de la veille. Il se penche pour sentir le bouquet et grimace, pas content : c'est bon, mais c'est commun et rond, ce n'est pas encore «ça». Le téléphone sonne dans la pièce d'à côté. Alexis ne se presse pas, Ils rappelleront. On insiste. Il décroche le combiné juste avant le cinquième coup, celui qui peut rendre violent, et répond «j'arrive», d'une voix légèrement émue, à Mathilde qui n'est pas sensible à cette nuance dans sa voix.

Il jette un œil à sa table de travail bien ordonnée, puis à l'œuvre finie de l'araignée au-dessus de lui; il ferme le labo. Il sourit quand même en tournant la clef et se dit que Carre fait bien des mystères pour un jeune retraité.

LE ROI, LA COUR ET LE BATEAU

Le vieux parfumeur n'a pas traversé l'Atlantique.
De toute façon il ne veut et ne peut plus passer
sept heures dans une bombe volante et la promis-
cuité. La loi de Murphy est infaillible, le maître a
toujours été affublé de compagnons de voyage
méchamment parfumés ou à l'hygiène buccale et
corporelle douteuse. La gingivite, la surdose de
vanilline dans le parfum, les jeans si sales qu'ils
marcheraient sans leur propriétaire si on le leur
ordonnait, l'ail consommé avant l'embarquement,
la transpiration mal étouffée par un anti-sudorifique
inefficace, le corps malade qui exhale une odeur
de charogne : Carre a senti de tout, il a tout senti
chez ses voisins. Il est grincheux et exigeant. C'est
un humaniste devenu misanthrope à cause d'une
aptitude — le goût —, des facultés hors du commun
de son appendice nasal et de son talent pour décryp-
ter le code des odeurs. Il n'a jamais vu le Québec,
mais il a visité l'Amérique à l'époque où l'entreprise

qui l'employait le faisait voyager en première, le parfum et la délicatesse de la classe supérieure lui rendant plus acceptables les longs parcours aériens.

Il disait «Amérique» comme si le continent était un pays. Alexis le corrigeait poliment : «On dit États-Unis, ou États-Unis d'Amérique, mais pas *Amérique*. Les États-Uniens veulent tout avoir.» Carre haussait les épaules et rétorquait «Et alors?», avec l'arrogance des gens revenus de tout. Il chaussait ses lunettes et recopiait au propre la formule dans son carnet, après quoi il demandait à son assistant de lui préparer quelque chose, «Une base ambrée».

Alexis avait échoué à l'examen d'entrée de l'école de parfumerie. Il avait trébuché habilement en répondant «à côté» aux questions de chimie, mais il avait fait sensation aux tests olfactifs, d'anglais et de culture générale en parfumerie. Carre avait été heureux de le voir rater mieux que bien, comme un artiste, mieux que les autres, mieux que les premiers au concours. Il était convaincu depuis longtemps que les meilleurs créateurs de parfums ne sont pas *que* chimistes, ils sont aussi poètes. Ébloui, retrouvant un peu de son génie dans ce jeune talent à l'accent nasillard, il avait ramené Alexis avec lui en Provence, et, au bout de trois mois de stage, en avait fait son assistant.

Le maître n'est pas venu à lui, mais ses parfums ont fait le voyage en bateau, troupeau silencieux et sublime, flacons du roi. Des boîtes contenant les fioles d'or liquide bloquent l'entrée de la boutique. Le livreur se tient devant elles, entre les lys et les roses blanches. Il le prie de bien vouloir l'excuser, «J'ai besoin de votre signature». Alexis signe la fiche et le met gentiment dehors. Il déchire la facture collée sur la boîte du dessus et l'éventre à l'Exacto. 11 ml d'extrait de parfum, le monde dans un flacon d'opaline. Il dépose une goutte d'élixir sur l'attache de son poignet, tourne un visage apaisé vers Mathilde, puis renifle la peau en fermant les yeux. Il sourit et lui tend son poignet.

— C'est beau, dit-elle, mais c'est quand même très féminin.

— C'est chaud, animal, velouté. La rose de Turquie est extraordinaire. L'absolu, surtout.

Elle lui fait remarquer que ce n'est pas très masculin, la rose. Il lui répond que dans les pays arabes, tout le monde aime et porte la rose.

Il lui demande de préparer les étiquettes et de placer bien en vue, sur un cube de verre dans la vitrine, une bouteille d'eau de parfum. Avant de sortir, il glisse dans le soutien-gorge de Mathilde le flacon d'extrait qu'il a testé sur lui.

— Ton huile parfumée de prêtresse gothique, c'est du pipi de chat.

Il l'embrasse sur le front, enfile son imper et

quitte la boutique. Il ne réfléchit jamais aussi bien qu'en marchant.

Alexis ne s'entoure plus d'odeurs fétides et animales. Il a mûri, il a pris du champ, le souvenir de Geneviève ne met plus en danger son bonheur. Soit. N'empêche que sa formation olfactive a précisé certaines intuitions. Il associe la mort à deux matières premières : l'encens d'église et la tubéreuse. La tubéreuse évoque pour lui le corps d'une femme en décomposition et fait surgir en lui l'image d'un corps pourri surmonté du visage bien vivant, mobile, souriant, de sa Geneviève. La tubéreuse et l'encens le répugnent, il est incapable de les travailler, d'en imaginer la synthèse. Ces deux matières ne sont pour lui que du plomb, et le plomb n'est rien d'autre que du plomb dont la transmutation en or est irréalisable.

Le parfum a évolué sur son poignet. C'est une truffe déposée au cœur d'une rose turque. Une heure plus tard, la truffe est devenue peau humide et sucrée, puis elle s'est transformée en sous-bois de contes.

«Carre est un vieux cochon», dit-il à Mathilde en rentrant. Soixante-cinq ans, marié et père de deux enfants devenus adultes au moment où l'URSS implosait, le maître entretient à son âge une maîtresse qu'il vouvoie même au lit. Il est le roi de sa petite cour, et ça lui va bien. C'est un roi bougon mais presque charmant quand il se donne la peine. Le parfum qu'il a composé renferme en note de tête une essence de tubéreuse hors de prix, charnelle, dangereuse, qu'un homme ne pourrait pas porter sans être lui-même troublé. C'est un sans-faute. Alexis est ému, puis découragé donc jaloux, *Ars nova* est un charme.

DENS LEONIS
La boutique

Elle n'aime pas les plantes ni les fleurs. Elle ne possède qu'une plante, et c'est cette chose artificielle en tissu vert pomme que sa mère a posée sur le haut de la bibliothèque de sa chambre à coucher lors d'un de ses voyages en ville. Elle n'a pas assimilé le mode d'emploi des végétaux, l'univers du bouquet et de la violette africaine ne la tente pas, elle préfère les herbes, les plantes et les fleurs séchées qu'il est possible de combiner et d'infuser comme Cécile le lui a enseigné. De toute façon, les fleurs coûtent cher et meurent vite.

Si Mina franchit le seuil de la boutique *Dens leonis* ce jeudi d'automne trop éclatant pour la saison, c'est à cause du nom sur l'affiche. Elle salue la personne qui tient boutique, prend son temps, teste l'*Ars nova* sur le dessus de sa main, puis s'arrête devant les boîtes de tisanes. Mathilde la laisse faire son tour en paix, elle se bat avec huit roses blanches et deux lys. Elle relève la tête et lui sourit en s'essuyant les mains sur le torchon. Mina hésite, s'approche et demande d'où viennent les tisanes.

— C'est au propriétaire de la boutique qu'il faudrait poser la question. Ça vient de chez lui. C'est sûrement écrit sous la boîte.

Elle sait bien, Mina, que ça vient de chez lui, parce que chez lui c'est aussi chez elle, et d'après le texte descriptif imprimé sur la boîte du produit, la dame qui confectionne les tisanes serait sa grand-mère, mais elle ne voit pas du tout comment Cécile pourrait y arriver toute seule. Elle est clouée au lit la majeure partie du temps et fréquente principalement, dans l'intimité de son salon ou de sa chambre à coucher, les vedettes de la télévision et ses romanciers préférés. Il lui arrive encore, de temps à autre, de préparer des mélanges médicinaux pour ses clients les plus fidèles, des gens compréhensifs qui veulent surtout l'aider, mais il lui faudrait une paire de jeunes mains pour se lancer dans une entreprise commerciale. Mathilde dévisage la petite chose perplexe.

— Il est au labo. Vous voulez le voir?

Non merci, ça ira. Mina griffonne son numéro de téléphone et son nom sur une retaille du papier japonais fleuri avec lequel Mathilde emballe les bouquets de fleurs. Étonnée (grand-maman?), amusée (*dens leonis!* on ne parle pas couramment le latin à Montréal), elle rentre chez elle avec une boîte de thé des bois et un aloès dont elle ne sait pas quoi faire.

On ne verra pas la lune pleine ce soir, la métropole s'est enfumée d'un brouillard qui lui donne un autre air. Les cyclistes, qui disputent la rue aux automobilistes irascibles et en perpétuelle crise d'adolescence, pestent contre cette nappe de brume et la lune voilée. Mina n'a pas pris son parapluie, elle baisse le visage vers le sol et traverse la rue Sherbrooke en croisant les doigts.

Derrière le crachin — un voile ou un rideau de gouttelettes d'eau impropre sans être sale — il y a, au bout du parc aménagé aux pieds de l'église, le pont Jacques-Cartier. Elle longe le mur Est de Notre-Dame-de-Guadalupe, sur lequel un anarchiste, cancre ou apôtre de la nouvelle orthographe à sa façon, a inscrit à la bombe rouge la devise «Ni Dieu ni maître».

Près de l'épicerie chinoise, entre le salon de massage sans nom et le meilleur tatoueur de la ville, un tas de merde fraîche que le crachin n'a pas nettoyé l'accueille au ras du sol. Elle renonce au pain et tourne les talons.

Une prostituée manifestement armée d'un sexe d'homme et d'une paire d'obus, portant *Le Mâle* de Jean Paul Gaultier au creux des genoux et *Lady Million* de Paco Rabanne entre les seins, chancelle sur ses faux Louboutin au coin de la rue. Au sud, la réclame en néons sur la devanture d'une église charismatique est presque érotique : «Le salaire de ton péché, c'est l'enfer». Mais le «s» de «salaire» et la première syllabe du mot «péché» ont rendu l'âme. La devise religieuse amendée achève de la déprimer, elle rentre à l'appartement sans pain blanc.

★

Sur le rebord de la baignoire, le téléphone se met à brailler un extrait pop de la *Neuvième* de Beethoven, la tirant de son fantasme de suicide par noyade, qu'elle était en train d'élaborer pour passer le temps. Mina sort une main de l'eau, l'essuie sur sa robe de chambre et attrape l'appareil. «J'étais pas loin, à quelques mètres, au labo, dit Alexis. T'aurais pu venir me saluer! Ça fait longtemps.»

ARS AMATORIA

Les arbres dénudés et la pluie fine donnent une couleur à l'humeur et au teint des gens, tout est gris sauf les chats du coin, des tigres. Contrairement au monde qui perd son éclat à la rentrée, Mina renaît à l'équinoxe d'automne.

Sa famille montréalaise compte cinq personnes, soit trois amies et deux ex-amants qui n'ont pas compromis sa réputation à l'université, où les rumeurs qui circulent sentent le fumier; beaucoup de fumée, mais les vrais feux allumés dans les corridors de l'adversité sont exceptionnels. Son premier amant montréalais lui avait servi, après une nuit parfaite, la médecine du silence méprisant qu'on impose aux Témoins de Jéhovah le samedi matin ou pendant le repas du soir; il ne fait pas partie de sa garde rapprochée.

Elle termine tranquillement, sans se prendre la tête, les études d'arts plastiques qu'elle a entreprises en 2009 et réécrit les dissertations d'étudiants faibles qui la rémunèrent correctement. Quand elle est vraiment à court d'argent, elle révise des mémoires et des thèses, largement subventionnées par l'État, qui seront publiées aux Presses universitaires après avoir reçu du jury d'évaluation la mention très bien. Il lui arrive de regretter son sous-poste de commis à la pharmacie de Malabourg, vendre des livres dans des conditions merdiques mais au ras de la mer étant une initiation à la vie adulte moins déprimante que la fréquentation dans le texte brut de ce qui deviendra l'élite universitaire.

Alexis la retrouve à la table du fond, derrière le piano droit en vieux bois. Entre l'oreille et le menton de Mina, allumant le fin duvet blond qui protège la peau, un rayon de soleil poussiéreux s'est trompé de saison. Alexis la trouve belle. Elle lève les yeux de son ouvrage, un mémoire qu'elle charcute depuis deux jours, et sourit en dévoilant les dents du haut, comme il faut. Tiens, il a changé.

Il a voyagé, il s'est bonifié. Ses épaules se sont développées, son visage a perdu le bombé de l'enfance, il porte des vêtements bien coupés. Il a les cheveux courts, on dirait qu'il a pris cinq centimètres en faisant couper sa tignasse. Mina se lève, contourne la table, le prend délicatement par la nuque et l'embrasse sur les joues.

Il lui raconte la France, elle lui décrit son Montréal. Ils s'interrompent, parlent en même temps, reprennent leurs histoires respectives depuis le début : Grasse, Montréal, la Provence, l'université, Paris. Ils abordent tous les sujets sauf Malabourg.

Un café, un thé noir au lait et au sucre, une soupe et deux sandwiches plus tard, le serveur a allumé un lampion entre eux, il fait nuit mais le café-restaurant s'est changé en bar. «J'habite au-dessus de la boutique, c'est pas loin», dit Alexis. Elle rougit et s'en veut de rougir comme une pivoine, jeune fille mais déflorée depuis longtemps. Il fait presque noir, il n'a rien vu. Il paie l'addition, elle n'a pas l'habitude de se faire inviter.
«Ça me fait plaisir.»

Devant la boutique, il l'invite à monter. Elle hésite, elle voudrait bien mais «Mes jambes, et mes...».
Il lui prend la main.
— On ne voit rien dans le noir.
— Il faut un peu de lumière quand même.
— On allumera une lampe.
— Oui mais pas trop forte, la lumière.
— On mettra ton châle sur l'abat-jour. Maintenant tais-toi, lui souffle-t-il à l'oreille en l'entraînant à l'étage. Et laisse-moi faire, ajoute-t-il dans l'escalier, en embrassant la peau fine sous l'oreille droite de Mina.

— Tu sens la mer.

— Je sens le sulfure de diméthyle, la corrige Alexis en riant. Mais tu peux dire la mer.

Il aime sa peau qui sent vaguement le savon, ses cheveux qu'il tire par maladresse car elle les porte longs, ses pieds aux ongles vernis, ses petits seins que les ex n'ont jamais vraiment caressés, et la nuit qu'il peut baiser. Il arrive à lui faire croire tout ça avec ses mains et les mots qu'il a appris à manier.

Il lui demande pourquoi elle ne se parfume plus. Elle lui répond que les parfums commerciaux tournent sur elle, qu'ils sentent la confiture au vinaigre un jour sur deux. Il s'engage alors à lui en créer un qu'elle portera trois cent soixante-cinq jours par année. Cette promesse, c'est la bague qu'un compositeur de parfums met au doigt d'une femme qu'il aime, et le majeur tendu qu'il adresse aux cyniques et aux bêtes sarcastiques, les gens qui n'aiment qu'eux-mêmes.

Le lendemain soir, elle quittera le type qu'elle voyait depuis deux semaines. Elle ira chez Alexis pour la nuit. Elle ne rentrera finalement à la maison que trois jours plus tard avec une chemise trop grande sur le dos et sa petite culotte propre mais encore humide, qu'elle aura chaque soir nettoyée à la main et suspendue au robinet pour la faire sécher.

★

Le maître disait qu'un parfumeur ne doit pas reproduire les odeurs de la nature. «Si une femme veut sentir la rose, elle n'a qu'à glisser un bouton de rose dans son soutien-gorge.» Il faut être démiurge, orchestrer du bout du nez le big bang et faire naître de la rencontre des matières premières choisies une émotion, une peau, un peuple, un monde.

Alexis mettait la rose dans tout, dans tous ses tests, dans toutes ses ébauches de parfum : rose otto, rose attar, absolu, hydrolat, concrète. Maurice Carre l'observait, amusé, et le mettait en garde contre l'amour fou d'une fleur, qui cache souvent, disait-il, une faiblesse. «De l'esprit, du cœur, de l'âme, peu importe.» Il appréciait la rose ancienne, il se méfiait néanmoins des Catherine-Deneuve, Jacqueline-Kennedy, Anny-Duperey et autres roses hommages des années 80 qui faisaient le bonheur des éleveurs, mais qui n'étaient bonnes à rien en parfumerie. L'absolu de rose de Turquie — miellé, épicé — et l'essence de rose de Grasse le rendaient encore amoureux. Alexis avait laissé tomber l'idée, formulée par Mina comme une plaisanterie un soir de janvier, de mettre en bouteille la rose Jacques-Cartier. «Ce serait comme embouteiller un pont.»

Au laboratoire, on se moquait affectueusement de son accent, on riait sous cape de son vocabulaire et de sa diction de bûcheron, de sa naïveté et de ses tocades de jeune homme trop sensible pour son âge, qui travaille à l'intuition au lieu d'analyser à fond les éléments. Carre prenait la défense du jeune Québécois dont la mémoire des odeurs et la capacité à les décrire est singulière et phénoménale. Alexis est venu à la parfumerie en passant par l'herboristerie du Nouveau Monde, où les plantes et les fleurs sont plus sauvages que les hommes.

Le maître ne lui connaissait pas de petite amie, à part les deux ou trois fantômes dont il traînait l'ombre au laboratoire. À l'odeur intime d'une femme, Alexis disait préférer celle du cou, sous l'oreille, celle de la nuque au petit matin et celle du décolleté qui n'a pas été corrompue par une fragrance trop commerciale. Des territoires que le créateur peut signer. «Vous êtes jeune», avait dit Maurice Carre.

ABSOLUS DE ROSE

Sur l'autoroute 15, au point du jour, on croise surtout des nids-de-poule. Dans l'autocar Greyhound, l'haleine de pâte dentifrice des lève-tôt a masqué l'odeur des toilettes chimiques et de vieille urine qui donnait le *la* olfactif au départ de Montréal.

Le véhicule atteint rapidement avec sa classe de voyageurs le poste frontalier de Lacolle. Du côté états-unien, l'autoroute 15 change de nom, de numéro et devient dans la langue de Walt Whitman l'Interstate 87. L'Empire State est à un jet de pierre, Manhattan est à quelques heures de sommeil.

Les douaniers ne monteront pas à bord pour les formalités, il y a trop de Français à contrôler, il faut prendre leurs empreintes digitales et vérifier les visas, « Tout le monde dehors, même les Canadiens, allez ». Mina traîne, elle n'est pas vraiment d'humeur, il est tôt, ils auraient dû prendre le train. « C'est trop long », a dit Alexis. La voiture ? « Je ne conduis pas aux États.» Et l'avion? «Pas fou de l'avion, l'hiver.» Dans la file, un type fait remarquer d'une voix grave et forte que les douaniers *yankees* ont l'air de comprendre le français. «Ils ont épousé des Québécoises», répond le conducteur de l'autocar. Les passagers font presque tous une mine de déterré, la marque de l'oreiller de voyage sur la joue, tandis que les agents états-uniens, efficaces et sympathiques, sourient comme des gouverneurs. Le groupe est contrôlé en moins de trente minutes. Le véhicule reprend la route, la 87 noire et lisse parfaitement dégagée.

Il ne fait pas très froid alors il neige, mais ce qui se dépose sur le bitume et les arbres ressemble plus à du sucre glace qu'à des flocons. C'est à un mile de Georgetown que le soleil, qui s'était enfin levé derrière les Adirondacks, change de tête brusquement. Le ciel s'assombrit en quelques secondes et leur tombe dessus. De violentes rafales. Le conducteur connaît la 87 comme s'il l'avait dessinée, il mènerait le groupe aux portes de Gotham avec une main sur le volant et l'autre sur la cuisse de n'importe quelle jolie femme sauf la sienne. Derrière eux, la tempête fait capoter trois voitures. De temps à autre les phares des déneigeuses, des camions et des voitures de la NYSP ouvrent une brèche dans leur cage de neige.

Mina et Alexis restent dans le car à Albany, ils tombent dans un sommeil de nourrisson après avoir mangé un sandwich fait maison. Lorsqu'ils rouvrent les yeux ils ne sont plus dans la chambre froide, ils ont changé de monde ; l'horizon est parfait, le ciel est dégagé et bleu, il n'a pas neigé ici, il fait près de 10 °C et l'étalon des capitales de l'Amérique a remplacé à leur gauche le mur blanc qui les avait expédiés dans le sommeil.

*

Sur le sol, des mégots, des cadavres mous de Wrigley's tirant sur le gris, une page du *New York Daily News* et un homme couché contre la distributrice à journaux, ramassé, endormi. Il n'y a pas de neige à New York mais il y a foule. Sur le trottoir et chez Macy's : foule. Foule et odeurs de la foule dans le métro. Foule, aussi, sur le pont de Brooklyn, que Mina et Alexis se sont mis en tête de traverser à pied pour tirer le portrait de Manhattan. C'est précisément ce que la plupart des couples de touristes sont venus faire, comme si l'île de Manhattan avait pris le relais des chutes Niagara dans le cœur et le calepin de noces des nouveaux mariés du troisième millénaire. Il doit bien se trouver sur ce trottoir de bois suspendu au-dessus de l'East River quelques fans de *Sex and the City* et des touristes fascinés par la chute icarienne du 11 septembre, mais dans l'ensemble, les gens qui traversent le pont de Brooklyn avec un appareil photo qui rebondit sur la poitrine sont surtout amoureux. Mina et Alexis rebroussent chemin à mi-parcours. Ils attrapent un taxi en maraude à City Hall et regagnent le deux-pièces qu'ils ont loué dans Chelsea.

Leur quartier général new-yorkais durant le voyage sera le Milk'n Honey Cafe, un restaurant au plafond de douze pieds avec des arbustes aux quatre coins de la grande pièce, des toiles d'artistes locaux accrochées au-dessus des moulures en bois d'acajou. La clientèle est une petite forêt de jeunes hippies chics, d'hommes d'affaires en veston et chemise fripée, d'étudiantes en robe Kate Spade et de serveurs vêtus de noir.

Ils commandent deux sandwiches au poulet grillé et une omelette, puis les dévorent en commentant à mi-voix la conversation de leurs voisins européens qui peinent à se faire comprendre du serveur.

— Vinaigrette, you see, monsieur?

— Oh, vinaigwette, yeah.

Il est heureux, le serveur, il a décodé le langage de la cliente, il a percé le mur de l'accent. Mina pouffe de rire ; Alexis, lui, est à Paris en 2010. Rive gauche. VIIe arrondissement. Il demande son chemin à un garçon de café. Il cherche la rue des Saints-Pères. Le garçon le dévisage mais ne répond pas. Alexis répète la question en détachant les mots comme s'il lisait une dictée. Le garçon a très bien compris, il esquisse un sourire en coin et soupire sèchement, on le dérange. Mais dans un élan de bonté feinte, il se penche et jette un œil à l'adresse qu'Alexis a inscrite au stylo sur le dos de sa main. «Ah! La rue des Saints-Pères. On dit pères, monsieur. C'est la prochaine.»

Ils se promènent sans hâte dans le quartier, voudraient se perdre mais New York a été idéalement dessiné. Ils marchent jusqu'à la 47e Rue Ouest. Le Diamond district est entre l'avenue des Amériques et la 5e, dans le Midtown. Marchands, dealers et joailliers reçoivent acheteurs néophytes, collectionneurs, fiancés et riches botoxés. Mina n'entre dans aucune des catégories susmentionnées, elle ne connaît pas les usages, ne sait pas quelle attitude adopter dans ce petit pays des gemmes, synthèse du capitalisme où une poignée de nations exploitent le tiers-monde.

On ne répond pas aux commerçants qui nous abordent dans la rue. Ça, elle le sait, ils sont faits de la même pâte que les chauffeurs de taxis fantômes. Pour le reste, elle s'en remet au hasard. Elle sonne et entre dans une boutique dont la devanture n'est pas trop tapageuse. Elle observe le manège des clients, des habitués qui appellent les vendeurs par leur prénom, voire leur diminutif. On s'approche d'elle mais elle prend peur, tourne les talons et rejoint Alexis à l'extérieur. Pas prête. On lui aurait refilé un zircon ou une tourmaline rose quelconques.

Ils remontent la 5ᵉ Avenue jusqu'à Central Park — Saks est bondé, on est le 23 décembre. Dans le hall du Plaza, un spécimen de la race des drogués au mépris les détaille des pieds à la tête. Alexis en a vu d'autres, mais Mina déteste ces regards inquisiteurs qui jettent le plus petit, c'est-à-dire «l'autre», sur le sol.

— Je sors, dit-elle.

Alexis demande au valet de lui indiquer l'endroit où se trouve la boutique du parfumeur Krigler. Il y achète une bouteille de Manhattan Rose et rejoint Mina qui sautille sur place pour se réchauffer. Ils ne s'attardent pas, ils mettent le cap sur West Village.

★

Francis Allan a été formé à Versailles et auprès de Maurice Carre, avec Alexis. Il a été embauché récemment comme parfumeur par une compagnie new-yorkaise. La matière qu'il préfère, sa merveille du monde, c'est l'oud.

— L'essence provient d'un champignon qui pousse sur le calambour, dit-il, avec une pointe d'accent, en touillant la sauce pour les spaghettis.

Appuyée contre le bras du canapé, Mina le taquine :

— Are you kidding me? Tu fais des calembours?

Alexis précise :

— Avec un *a* : calambour. Ou calambac, si tu veux. C'est le bois d'Agar.

Francis Allan retire la casserole de la plaque de cuisson et verse la sauce sur les nids de pâtes.

— C'est un parfum de bois malade. Un oud vieilli se vend au prix de l'or, dit-il.

Ils échangent à table des confidences sur le métier, les anciens collègues, les collaborations, les départs, les embauches, les jus ratés chez telle ou telle maison. Francis Allan leur raconte l'histoire d'un virus qui atteint les citrus : «la *tristeza*, la maladie de la tristesse».

Le vendredi soir fait plus de bruit dehors que dans la maison de grès brun. Allan a rendez-vous à 23 heures avec son amant dans un appartement de SoHo, c'était prévu. Alexis repart avec un flacon d'absolu de rose que son ami importe d'Isparta, Mina a mis la main sur le numéro de téléphone d'un professeur d'arts plastiques à Columbia, collectionneur de pierres fines et «sésame ouvre-toi» de la 47e Rue.

★

Le 28 décembre, ils passent les douanes canadiennes en petits voleurs. Ils déclarent à l'agent canadien le parfum Krigler et la bouteille de gin

157

achetée à la boutique hors taxes avec leurs derniers dollars états-uniens, mais pas le flacon de rose d'Isparta ni le spinelle de Mahenge ovale de coupe portugaise — une pièce rose néon de un carat, calibrée 8 × 6 millimètres, achetée à un marchand fiable, rompu aux secrets du commerce équitable, qui n'a pas essayé de leur fourguer une rubellite traitée.

Mina retrouve son appartement à la tombée de la nuit. Elle défait ses bagages et file sous la douche sans allumer la lumière, elle manque de se défaire une épaule en tombant dans la baignoire. Dans la cuisine, dans le salon, dans son lit, dont elle n'a pas changé les draps depuis un mois, elle est seule.

Le téléphone se met à vibrer sur le plancher. C'est Alexis, mais il a déjà raccroché lorsqu'elle prend l'appel. Elle compose rapidement son numéro, on sonne à la porte. Elle éclate de rire en le voyant, il est sur le balcon avec un bouquet de lys dans la main et un carton de lait au chocolat sous le bras.

— Les fleurs, tu sais...

— Tu vas t'y faire.

Ils reconnaissent, après avoir fait l'amour ce soir-là, qu'entre eux il y a un appartement et quelques rues de trop.

PARFUM DE PEAU

Ils redoutaient une petite guerre sur le territoire de la boutique, mais à leur grand soulagement le conflit amoureux auquel ils s'attendaient n'a pas eu lieu. Mathilde s'est trouvé un autre emploi et un amoureux plus empressé, elle s'est éclipsée sans faire d'histoire.

Mina a cédé son bail et déménagé ses affaires chez Alexis. Elle a succédé à Mathilde et appris le travail des fleurs au quotidien à la boutique. Deux fois par semaine, elle a ses cours. Enfin, avoir des cours, c'est vite dit, parce qu'à l'université c'est maintenant la grève, que l'assemblée à laquelle elle n'a pas assisté a votée la veille au soir.

La levée de cours l'arrange. La boutique est prise d'assaut depuis l'ouverture ce matin-là par les époux et les copains qui s'imaginent, avec une fébrilité voisine de celle qui devait les accompagner l'année dernière pour les mêmes raisons, que le bouquet de roses du 14 février peut ranimer un couple agonisant.

Il y a davantage de clients, à la fin de la journée, que de roses à vendre. Mina a les mains abîmées, comme si elle les avait posées sur une machine à torture. Dix hommes rivés à leur téléphone portable, soupirant comme des bœufs, s'impatientent devant elle. Elle les plante là.

Alexis vérifie l'heure sur sa montre et s'étonne qu'elle soit encore à la boutique :

— Tu aurais pu me prévenir.

Elle répond, en se massant les mains :

— Grève. On a voté hier.

— Voté ? Mais t'étais ici !

— Eux. Enfin, l'asso. On est en grève, il y a levée de cours.

Elle lui montre ses paumes trouées.

— J'ai douze clients, mais il nous reste dix roses rouges et cinq roses blanches. Le gros type de la rue Coloniale veut deux bouquets identiques. Il est même pas assez raffiné pour demander un bouquet différent pour sa maîtresse.

— C'est peut-être sa mère. Tu veux que je m'en occupe ?

Elle hausse les épaules. Elle a l'air d'une fille qui pourrait attaquer les clients difficiles avec l'Exacto Il l'embrasse.

— Je vais te battre avec le dernier bouquet de roses.

— Tu te blesserais.

— Non, je les prendrais par la tête.

Elle se hisse sur la pointe des pieds, ferme les yeux d'Alexis avec le dos de sa main, passe un doigt sur les paupières. Elle l'embrasse, puis le pousse doucement vers la boutique. Elle s'affale sur la chaise de travail, rompue de fatigue et amoureuse, et s'endort comme une poupée désarticulée.

*

Le soleil, dont les rayons sont réfléchis par la neige qui s'est accumulée sur les trottoirs et le toit des voitures, dans la rue mal déblayée et les parcs, est trompeur cette année, la saison froide fait rapidement place au printemps des espoirs. Il n'est de toute façon pas prudent de marcher courbé, le blanc est trop éblouissant.

La neige fond sous les bottes des étudiants qui ont pris la rue, fait de la rue un trottoir réservé au bon moment à l'usage des manifestants, leur assemblée. Le cortège décrit un anneau au cœur de Montréal.

C'est sur ce fond de réveil naturel et du *lóng*, le dragon oriental sous les auspices duquel l'année 2012 est placée depuis le 23 janvier, dans la fin clémente de son premier hiver avec Mina dans le cœur, qu'Alexis travaille une formule courte pour le parfum de peau qu'il lui a promis. La plupart du temps il utilise le dos de sa main, la saignée du bras ou l'intérieur du poignet pour les essais, mais la page qu'il préfère animer, c'est la peau de Mina. Il jongle avec les proportions, fuit l'équilibre sur papier, cherche l'équation absolue, l'histoire courte composée en fouillant sa mémoire des odeurs, que seul le corps et le cœur de Mina peuvent évaluer, et éventuellement apprécier, ou, mieux, aimer.

ROSE DE MAI

L'ylang-ylang est puissant, il mène le bal des essences. Alexis réduit la quantité d'huile essentielle, corrige la formule, exalte la note rosée en ajoutant une goutte de cette rose d'Anatolie que Francis Allan lui a donnée. Il est déçu, c'est trop rond, il n'y a pas assez de, il y a trop de tout, c'est banal, ce n'est pas encore «ça», ce n'est jamais «ça». Il fracasse un flacon sur le sol, comme s'il s'agissait d'une boule puante, pauvre petite bombe de parfum coupable de ne pas sentir comme il faut.

En désespoir de cause il allume son ordinateur et vérifie le prix des billets d'avion pour Nice. Mina le prend par les épaules, le dissuade d'aller voir Maurice Carre, et lui fait remarquer que dehors, ça bouge, «Écoute». Il est 21 h 30, la foule des manifestants, qui sont plus de vingt-cinq mille dans la rue Sherbrooke, passe tout près, a mis le cap sur l'îlot de gratte-ciel du centre-ville, vers l'ouest

— Viens.

— Non, c'est pas pour moi.

Elle s'installe devant l'ordinateur pour suivre à l'écran le trajet du *lóng*, qui se fraie un chemin de banderoles rouges, de pancartes à slogans et de têtes plaisantes, amicales et jeunes, jusqu'au centre financier de Montréal.

*

Le bedeau de l'église Guadalupe n'a pas nettoyé le mur Est affichant depuis une semaine un nouveau graffiti, «Protest», qui l'embête moins que la devise libertaire qui avait éclaboussé le même mur l'automne précédent. Il ne sait pas qui décore ainsi, armé de sa bombe de peinture commerciale noire, l'édifice religieux dont il prend un soin jaloux, mais l'œuvre fait sourire les fidèles et les passants qui ont épinglé sur leur manteau un carré de feutrine rouge, ce clin d'œil solidaire, écaille du dragon à mille têtes ranimé en mars qui ondule dans les rues à la tombée de la nuit; symbole des étudiants qui marchent.

Mina passe la tête par la porte du bureau et lui annonce qu'elle sort. Il a l'air en forme, il a les traits détendus, les cheveux gras collés sur le crâne, la félicité dans le regard. Il trempe une touche dans le flacon numéro 8 et la lui tend : «Viens ici.» Elle ne peut pas, elle doit descendre, mais Alexis glisse avec sa chaise à roulettes jusqu'à la porte et bloque l'entrée. Avec mille précautions, Mina dépose à ses pieds sa besace en toile et se penche au-dessus de lui pour l'embrasser. Il insiste. Elle se relève, prend la languette de papier mouillée et la porte à son nez (c'est la 58e formule qu'elle teste). Elle se met à rire et lève les yeux au plafond. La toile d'araignée a attrapé de la poussière, de la mousse, elle accroche leurs regards. Le concentré qui repose dans la fiole numéro 8 est une histoire, et c'est bien celle qu'Alexis cherchait à livrer depuis longtemps.

Il enfile son manteau et la suit dehors. Ils descendent la rue Papineau, prennent Ontario jusqu'à Amherst et tournent vers l'ouest sur Sainte-Catherine; le cortège attend, devant le métro Berri-UQAM, banderoles au vent, le signal pour prendre possession de la rue et danser avec le dragon.

Les agents de police en faction sont nombreux ce soir. Ils sont armés, déguisés comme Robocop, et ils portent en masque le visage impassible de celui qui reçoit des ordres : «Ne regardez pas les manifestants dans les yeux», «Si un Carré Rouge s'adresse à vous, répondez en regardant au loin». Ils sont sur les dents, mais l'énergie de la foule pacifique écrase leur fatigue. Ils ouvrent et ferment la marche, crête et queue de l'animal mythique.

Devant la Grande Bibliothèque, Alexis, qui tient fermement la main de Mina, lui demande, en criant pour enterrer les chants anti-capitalistes qui ont trouvé des voix dans ce monde, ce qu'elle traîne dans sa besace.

— Rien. Pourquoi?

Elle a répondu en criant aussi fort que lui mais en regardant droit devant, car il y a trop à voir. Il lui dit qu'il sait, pour les bombes de peinture qu'elle fabrique à la maison, avec des ampoules électriques et des tubes de peinture rouge.

— Tu vas pas lancer ces trucs-là sur quelqu'un, hein?

Elle lui répond, en suivant la foule tonique composée essentiellement de jeunes et de baby-boomers en excellente forme physique, qu'elle n'a pas l'intention de viser les policiers, mais peut-être la devanture d'un McDo. Tout autour, on hurle et chante des slogans et des insultes; ils ne s'entendent plus parler. Mina se met à chanter et à scander avec eux les phrases répétitives qui font penser à des formules politiques magiques d'une autre époque, comme si un régime et un système étaient des montagnes. Alexis se referme, mais il réussit, entre deux mouvements de foule, à lui soutirer la besace et à la lancer dans une poubelle publique. Il vise juste. Mina retire sa main et se plante devant lui, les poings sur les hanches. Il rirait presque, si ce n'était le monde qui coule autour d'eux. Ils forment ensemble un rocher au cœur des rapides. Elle lui reproche de ne pas lui faire confiance, il rétorque que les bombes de peinture, ça ne lui ressemble pas. La foule les pousse plus loin, alors main dans la main, ils laissent faire le courant et font silence.

À l'angle des rues Ontario et Saint-Laurent, les agents ont isolé la tête de la manifestation. Le poivre de Cayenne décape des milliers de gorges, le vent charrie le poison qui fait fermer les yeux et la gueule. Ils sont coincé plus haut. Des militants courent dans le sens contraire de la marche pour échapper aux policiers qui chargent la foule et à la rafle. Le couple se range sur le côté. Alexis fait savoir à Mina qu'il est temps de rentrer, il veut rentrer sur-le-champ, mais Mina a grimpé sur un muret et observe le travail des policiers. L'escouade anti-émeute arrive à leur hauteur. Deux agents se détachent du groupe et se jettent sur un manifestant masqué, garçon en noir avec une cagoule grise, et lui arrache son sac à dos dont le contenu se renverse dans la rue : bombes de peinture, bouteille de vinaigre et morceaux de béton moins sexy que les pavés de Paris. Alexis l'aide à redescendre du muret. Elle le suit sans faire d'histoire.

— Il y avait juste quelques bombes de peinture dans mon sac. Pas de pierres, dit-elle, sur le chemin du retour.

Il l'enlace et lui répond, d'une voix forte car ils sont encore tous deux assourdis par les chants, qu'il sait tout ça, mais que pour les chiens, c'est une arme.

— J'ai pas envie qu'ils t'écrasent au sol.

Il lui demande si elle a vandalisé le mur de l'église Guadalupe. Non, bien sûr que non. Et il la croit, car elle ne ment jamais.

Il reprend la main de sa blonde aux cheveux noirs, lui caresse mécaniquement les jointures. Devant le parc Lafontaine il se retourne et jette un œil derrière lui. Mina en profite pour sortir une ampoule de la poche de son imperméable. Elle croise le regard d'Alexis, vise et fait éclater la bombe rouge sur le pare-chocs de la voiture de police garée derrière une Mercedes. Il soupire et accélère le pas, l'entraînant le plus loin possible de la scène.

Devant l'appartement, il lui chuchote à l'oreille une saleté qui la fait sourire. Ils rentrent en paix, les joues en feu.

★

Elle dépose ses lunettes sur le dessus de la petite bibliothèque qui lui sert de table de chevet et se tourne vers lui.

— T'as trouvé le nom?

Il lui demande d'une voix fatiguée de quel nom elle parle.

— Celui du parfum.

Il lui fait un clin d'œil. Elle repose la question, pour la forme ; elle connaît déjà la réponse. Il éteint la lumière. Elle rabat le drap sur sa tête et se blottit contre lui.

MALABOURG

Dans la mythologie chinoise on dit que la voix du *lóng*, puissante comme le feu dont il serait à la fois le maître et la mère, évoque le bruit de casseroles qui s'entrechoquent, heurtées. À la fin du mois de mai, la langue de feu du dragon qui serpentait à travers la ville dans un silence respectueux des chants des manifestants s'est élevée à son tour, à la tombée de la nuit, bouleversant le sommeil léger des enfants et les voisins grincheux, animant les parvis et les balcons, égayant les rues dans le demi-jour, faisant naître des amitiés de printemps. Le soleil s'est couché pendant quelque temps dans un concert de casseroles, puis, peu après la Saint-Jean, la voix de feu est retournée dans le ventre du *lóng*.

Mina et Alexis avaient joué le jeu politique du soir, sur le balcon de l'appartement ou devant la boutique, avec les voisins qu'ils avaient appris à connaître, munis comme eux d'un ustensile et d'une casserole dont ils avaient fait bon usage pour manifester, dans ce dynamisme renouvelé qui plaisait davantage à Alexis que les marches risquées et escortées de la nuit.

L'été tire à sa fin. Formule en poche, nom de parfum en tête, Alexis a mis en bouteille les odeurs de ces fleurs dont il sait que combinées de la sorte elles n'ont pas d'histoire, ne font plus d'histoires, mais en racontent une. La puissance du *lóng* tiré momentanément de son sommeil de chimère et le bruit de casseroles qui lui tenait lieu de voix, transmués en odeur, exaltent à leur tour les roses de Malabourg.

*

Le pays a mis en circulation pour les fêtes du Nouvel An chinois une collection de timbres à l'effigie du dragon oriental. Si le *lóng* n'a pas dérangé les démons de Postes Canada, Alexis devrait recevoir en septembre les premières bouteilles d'extrait et d'eau de parfum de sa composition.

Formulation (nom et proportion des matières premières), pesée, macération du concentré, dilutions (extrait, 20 % ; eau de parfum, 12 %), nouvelle période de macération, glaçage, filtrage, remplissage et conditionnement dans des flacons d'opaline (eau de parfum) et de cristal (extrait) : voilà, c'est l'équation magique qui fait entrer un monde dans une fiole.

Alexis a établi la formule dans son laboratoire à Montréal, mais il n'est pas Chanel, ni Hermès, ni Patou, il confie donc la fabrication de ses concentrés à une équipe possédant robots et matières premières contrôlées et de la meilleure qualité. Il fait naturellement appel à l'équipe de Maurice Carre. Le vieux maître, retraité, suit de loin, avec la bienveillance d'un patriarche fier de ses petits, la transformation alchimique des rêves de son ancien assistant, dont il a bien compris qu'il était amoureux.

★

Lorsqu'il fait 32 °C et qu'on sue par tous les pores, on oublie que le Québec est un grand séducteur, viril et manipulateur comme le ciel, soufflant le chaud et le froid.

Les rafales de septembre atteignent quatre-vingt-dix kilomètres à l'heure et charrient des branches d'arbre faibles qui attendaient un coup de vent pour mourir, des couvercles de poubelle, des détritus. Elles réveillent les mémoires paresseuses et brassent les souvenirs. Le vent est chaud et puissant, il annonce l'équinoxe d'automne. Les soirées de septembre ont un charme violent qui manque au jour. Mais le *lóng* n'a pas fini son travail. Le ciel, qui lui offre d'ordinaire un lit, un espace dans lequel cette belle bête s'illustre sous la forme d'un nuage, manipulera encore les foules pendant la saison. Et l'on se demandera, à part soi lorsqu'on craint le ridicule, comme si la nature était autre chose qu'elle-même, si le ciel est creux.

Alexis avait rencontré à Grasse, en août, l'équipe du maître Carre. On lui avait présenté sa création dans les deux concentrations. Il avait rapporté de son voyage six modèles de flacons, parmi lesquels il avait choisi les deux plus sobres. Un flacon d'opaline en forme de goutte, légèrement teinté citrine avec bouchon or. La petite fiole de 7,5 ml, une amphore en cristal ornée d'un spinelle de Mahenge de 3 mm de diamètre, protégerait l'extrait.

*

Mina plonge les baguettes de bambou dans le bol de soupe asiatique qui lui a été livré. À l'écran, une femme vêtue de bleu lève les bras au ciel et prend la parole devant ses partisans. Mina coupe le son de l'appareil et rejoint Alexis dans la cuisine.
— Qui a gagné?
Il a déposé une amphore en équilibre sur la table. Mina reconnaît la couleur pop du spinelle. Elle ferme les yeux en souriant. Alexis la regarde avec attention. Il lui replace une mèche de cheveux derrière l'oreille et elle rouvre les yeux. Elle débouche le flacon et applique le parfum sur les poignets, entre les seins, sur la nuque, derrière les oreilles;

elle l'enfile comme un vêtement. La femme en bleu livre en sourdine son discours de victoire, que des gardes du corps interrompent soudainement. Elle quitte la scène, disparaît de l'écran. Derrière l'immeuble où se sont réunis les partisans de la Première ministre élue, un homme arborant le costume d'un super-héros de salon, mais armé comme Rambo, est maintenu au sol par des homme plus forts que lui. Il aurait tué un homme à quelques mètres de la première femme à la tête du Québec.

Malabourg est un jus opulent et frais, avec une pointe d'iode pour la mémoire de l'eau, et cette damascone en touches discrètes, couplée à l'alcool phényléthylique pour le mariage rose du miel, de la poudre et de l'amande amère, mais le cœur est composé de trois fleurs : *rosa damascena*, *rosa centifolia* et *lilium candidum*, cette fleur muette, qui ne s'ouvre pas naturellement pour le parfumeur et dont il lui faut par conséquent recréer l'odeur. C'est un parfum de peau jeune réchauffée par le souffle du dragon. En mettant en marche tous ses sens, le compositeur de Malabourg a remonté à la vie, remis au monde à sa façon, délicatement, trois jeunes femmes pour l'amour d'une autre.

Note de l'auteur et remerciements

Ma mère est née en Gaspésie, sur la rive nord de la baie des Chaleurs. Je me suis librement inspirée des paysages, des villages et du climat de cette région du Québec pour créer Malabourg, Mowebaktabaak, Segabun et Mont-Bleu.

Le titre de la première partie de *Malabourg*, «Le crépuscule des fleurs», est de Proust : «Cette flamme rose de cierge, c'était leur couleur encore, mais à demi éteinte et assoupie dans cette vie diminuée qu'était la leur maintenant et qui est comme le crépuscule des fleurs» (*Du côté de chez Swann*, II).

J'ai trouvé le titre du chapitre «Haute puanteur» dans l'ouvrage de l'historienne Élisabeth de Feydeau : *Les parfums. Histoire, anthologie, dictionnaire*, Paris, Robert Laffont/ Bouquins, 2011 («[...] le parfum — "cette haute puanteur", ainsi que le nommait Montaigne», p. 11).

La comparaison entre la voix du dragon oriental et le bruit des casseroles des manifestants, développée dans le chapitre «Malabourg», m'a été inspirée par un passage de l'ouvrage de Maurice Louis Tournier : *L'imaginaire et la symbolique dans la Chine ancienne*, Paris, L'Harmattan, 1991 («Sa voix est comparable à des casseroles de cuivre qui se heurtent», p. 124).

Quelques parfumeurs dont j'ai apprécié le travail : Jean Carles, Jacques Cavallier, François Demachy, Isabelle Doyen, Jean-Claude Ellena (ses parfums, mais aussi ses livres : *Journal d'un parfumeur* [Paris, Sabine Wespieser, 2010] et *Le parfum* [Paris, PUF, collection «Que sais-je?»]), Mathilde Laurent, Jacques Polge, Edmond Roudnitska, Thierry Wasser.

Merci à l'équipe de la Grande Boutique de L'Artisan Parfumeur à Paris, et plus particulièrement à Mme Stéphanie Bakouche Kouidri.

Je remercie de son soutien le service des Affaires culturelles de la Délégation générale du Québec à Paris. Merci également à Lola Lafon, qui m'a prêté son appartement à Paris.

Je dédie ce roman à ma mère, Dorothée Leblanc, qui m'a transmis bien plus qu'un nom de famille, et à ma grand-mère, Grace Firth, une anglophone de la vallée de la Matapédia qui a élevé ses enfants en français.

Dens leonis   11

PREMIÈRE PARTIE
LE CRÉPUSCULE DES FLEURS
2007

Rosa damascena   19
Lilium candidum   29
Rosa centifolia   41

DEUXIÈME PARTIE
MINA
2007-2009

La clef   51
La Tombe   54
Hockey   59

Haute puanteur 66

Chez Madame Ka 72

Segabun 77

Extincta revivisco 80

Le pendu 88

La toile de Malabourg 94

Mowebaktabaak 99

Frigidaire 108

Les états 114

La perspective américaine 120

TROISIÈME PARTIE

MALABOURG

2011-2012

Vieux Continent 131

Le roi, la cour et le bateau 136

Dens leonis 141

Ars amatoria 145

Absolus de rose 151

Parfum de peau 159

Rose de mai 163

Malabourg 170

Note de l'auteur et remerciements 175

Composition PCA/CMB Graphic
Impression CPI Firmin Didot
à Mesnil-sur-l'Estrée, le 7 février 2014
Dépôt légal : février 2014
Numéro d'imprimeur : 121576

ISBN : 978-2-07-014480-8/Imprimé en France.

264483